U0011862

復古的創新滋味

　　現代釀酒科技的發展，讓釀酒師可以更安全有效率地控制葡萄酒的釀造，但在方便之餘卻也遺失了許多耗時費工的傳統手造技藝。近年來，低干預少添加的自然派釀酒風潮興起，讓一些曾經被現代科技取代，日漸消失的舊時古法，如原生酵母發酵、混種與混釀、Pét-Nat自然派氣泡酒、泡皮橘酒和氧化培養等等，都逐漸地被重新找回來，不僅是復舊，也融入現代的酒窖中，釀成既復古又創新的滋味。

　　陶罐是最古老的釀酒容器，八千多年前在高加索地區就被用來釀造最原始自然的葡萄酒。沿用數千年的陶罐雖然逐漸為木槽、水泥槽和不鏽鋼槽所取代，但卻不曾消失，在喬治亞和葡萄牙等地的鄉間，仍然有自釀自飲的農家將此悠遠的釀酒經驗傳承下來。在過去二十多年間，自然派釀酒師重新學習用陶罐釀酒，用不同形狀和燒製溫度的陶罐釀成許多帶礦石與鹹感的創新風味。讓這個以黏土燒製的古老容器成為近年來最重要的釀酒新風潮，影響所及甚至超越自然派，也為許多經典酒莊所採用。

　　繼《飲‧自然Nature Wine：獻給自然派愛好者的葡萄酒誌no.1》之後，接下來的新一期內容，我們以「陶罐酒的復興之路」為主題，向在復古中創新的自然酒致敬，就如同跨越數千年歷史的陶罐酒，正為今日21世紀的葡萄酒世界帶來珍貴且強大的創新元素。

　　在本期中，除了來自各地，古法新釀的自然酒與陶罐酒，也將專題報導陶罐酒的復興以及今年在台灣策動的三項陶罐酒釀造計畫，同時備好台灣的陶罐酒賞味地圖。其實，這些最復古的創新滋味並沒有離我們太遙遠，陶罐酒的復興也正在我們的島上發生中。

《飲‧自然》策劃人
林裕森 Yu-Sen LIN

以葡萄酒為專業的自由作家。巴黎第十大學葡萄酒經濟與管理碩士、法國葡萄酒大學侍酒師文憑、東海大學哲學系。原本念的是哲學，卻一頭栽進葡萄酒的世界裡，林裕森自況為「逐美酒佳餚而居」的「游牧型」作家，在地球上遷徙流蕩，四處探尋那些在人與土地的交會之下，經過時間的沉積才淬鍊而成的難得美味。

相關著作：《飲‧自然 Natural Wine：獻給自然派愛好者的葡萄酒誌 no.1》《歐陸傳奇食材：巴薩米克醋、貝隆生蠔、布烈斯雞、鹽之花、伊比利生火腿、帕馬森乾酪、藍黴乳酪、黑松露、白松露》《布根地葡萄酒──酒瓶裡的風景》《西班牙葡萄酒》

林裕森部落格：www.yusen.tw

航海冒險家

CORTO MALTESE
科多·馬提斯

浪遊天地、自然颯爽

飲・自然 Natural Wine
獻給自然派愛好者的葡萄酒誌 no.2・
陶罐酒的復興之路

Contributors

王琪 Leona WANG
定居倫敦的葡萄酒講師與記者。WSET 四級，身兼波爾多、馬德拉葡萄酒公會以及 WSET 的認證講師，目前正攻讀葡萄酒大師課程。

林孝恂 Ingrid LIN
葡萄酒自由工作者，執行形形色色葡萄酒專案。

顧瑋 Wilma KU
在地物產內容採集，食物裡的線人。

飲饌風流 VV0114
飲・自然 Natural Wine
獻給自然派愛好者的葡萄酒誌 no.2

策　劃　人／林裕森
共 同 企 劃／「喝 自然」
採 訪 撰 文／王琪、林孝恂、林裕森、顧瑋

總　編　輯／王秀婷
編　　　輯／郭羽漫
版　　　權／徐昉驊
廣告、行銷業務／黃明雪

發　行　人／凃玉雲
出　　　版／積木文化
104 台北市民生東路二段 141 號 5 樓
FB 粉絲團：積木生活實驗室
官方部落格：http://cubepress.com.tw/
電話：(02) 2500-7696　傳真：(02) 2500-1953
讀者服務信箱：service_cube@hmg.com.tw
發　　　行／英屬蓋曼群島商家庭傳媒股份有限
　　　　　　公司城邦分公司
台北市民生東路二段 141 號 11 樓
讀者服務專線：(02)25007718-9
24 小時傳真專線：(02)25001990-1
服務時間：週一至週五上午 09:30-12:00、
下午 13:30-17:00
郵撥：19863813　戶名：書虫股份有限公司
網站：城邦讀書花園　網址：www.cite.com.tw
香港發行所：城邦（香港）出版集團有限公司
香港灣仔駱克道 193 號東超商業中心 1 樓
電話：852-25086231　傳真：852-25789337
電子信箱：hkcite@biznetvigator.com
馬新發行所／城邦（馬新）出版集團
城邦（馬新）出版集團 Cite (M) Sdn Bhd
41, Jalan Radin Anum, Bandar Baru Sri Petal-
ing, 57000 Kuala Lumpur, Malaysia.
Tel:(603)90563833 Fax:(603)90576622 Email:s
ervices@cite.my

美術設計／陳品蓉
製版印刷／韋懋實業有限公司
2022 年 11 月 8 日 初版一刷
Printed in Taiwan.
售價／ 249 元
ISBN 978-986-459-458-0
版權所有・翻印必究

國家圖書館出版品預行編目 (CIP) 資料

飲自然 . 2：陶罐酒的復興之路 / 林裕森，
顧瑋，Ingrid 著 . -- 初版 . -- 臺北市：積木
文化出版：英屬蓋曼群島商家庭傳媒股份
有限公司城邦分公司發行 , 2022.11
　面；　公分
ISBN 978-986-459-458-0(平裝)
1.CST: 葡萄酒

463.814　　　　　　　　　111016264

陶罐酒的
復興之路

文／圖・林裕森

　　如同威士忌酒廠總愛炫耀它們的雪莉酒桶，現在到世界各地拜訪葡萄酒廠，酒窖裡的陶罐常成為參觀重點，釀酒師比較Qvevri和Tinaja陶罐的差別，就如同二十年前聽他們討論Troncais和Vosges森林的橡木桶有什麼不一樣，都是酒窖裡最熱門的話題。

　　但作為葡萄酒歷史起源的陶罐酒，卻是在20年前才開始意外地重回現代酒窖。放下現代科技的控制，回到了最初的根源，是近年來葡萄酒世界裡最重要的趨勢，陶罐酒的發展也正鑲嵌在同樣的趨勢之中。搭上重返過去的自然派快車，陶罐酒自然可以快速的蔚為風潮，在各地開枝散葉成豐盛多元的樣貌。

　　無論從喬治亞起源到近代復興，或從風味特色到佐餐應用，都是今日酒迷們最關注的四個陶罐酒主題；這期《飲・自然》希望透過四篇與這四個題目相關的報導與訪談，讓還帶著一點神祕的陶罐酒，可以呈顯更清晰的完整面貌。

Khakheti 產區

喬治亞：陶罐酒的諾亞方舟

歐亞交界的高加索地區不僅是以陶罐釀造葡萄酒的起源之地，也是葡萄酒文化的起點。在喬治亞南邊的克維莫－卡特利州內有兩個距今八千年的新石器時代史前遺址，考古專家在當中挖掘到當時釀酒的陶罐、葡萄籽和葡萄皮等的釀造痕跡。是的，人類最早的釀酒容器，很可能正是現

今在風潮浪頭上，用黏土燒製成的陶罐。

喬治亞所在的高加索山南側，因為獨特的自然環境，在寒冷的冰河時期，高聳超過五千公尺的山脈阻擋了北方冷風，讓歐洲種葡萄得以在山脈南側的溫和環境延續生長，現今全球九成九以上的釀酒品

種，包括最知名的黑皮諾、卡本內－蘇維濃等等，都是喬治亞歐洲種葡萄的後代。因為是歐洲種葡萄的原產故鄉，也讓喬治亞保有非常繁雜多樣的歐洲種葡萄，是最多元的基因寶庫。

　　做為葡萄酒文化的搖籃，喬治亞最讓人驚羨的是這些史前遺址內的釀酒古法並非只是歷史紀錄，也沒有完全失傳需要多方拼湊才能重現，而是跟當地民間流傳的，以Qvevri陶罐釀造葡萄酒的方法相當近似。這種流傳八千多年沒有中斷的釀酒法，在2013年更被聯合國教科文組織登錄為非物質世界文化遺產，成為需要通力保護的珍貴傳統。

　　Qvevri尖底陶罐是喬治亞古法釀造的核心，至今仍然以人工手捏堆疊的工法製胚，容量少則數百公升，但也有高達數千公升的巨型陶罐。自然風乾後，以一千度的柴火燒約一週的時間，整個製作過程需費時數月才能完成。Qvevri特有的蛋型尖底外型雖然無法站立，但卻有其獨特的功能，可讓發酵中的酒液在罐內自行循環流動，陶罐埋在地下，僅露出罐口，內壁施以蜂蠟塗層，不僅具有保溫功效也可防滲漏，是一種相當適合少人工干預、自然釀造的釀酒容器。不論黑葡萄或是白葡萄，通常先在木槽中腳踩出汁，連皮和梗放入陶罐中進行浸皮和發酵，通常黑葡萄發酵完成後就會進行榨汁，白葡萄發酵完會進行封罐，讓葡萄皮繼續浸泡數月到隔年春

葡萄在木槽腳踩後入陶罐

Khakheti 產區傳統酒窖

Pheasant's Tears 酒標

Ramaz Nikoladze 釀
造的陶罐酒

天之後再開罐取酒飲用。

　　這樣的釀酒法在喬治亞東邊的卡赫季
州（Khakheti）最為盛行，又稱為卡赫季
釀法，雖然原始簡單，但釀成的酒卻相當
有個性，特別是白葡萄泡皮釀成的白酒常
有金黃的琥珀色，帶獨特的海水與香料系
香氣，也常有澀味和緊密的口感結構，甚
至也有耐久的潛力，相當特別，雖是數千
年歷史的古法，但卻能在今日風味與類型
五花八門的葡萄酒世界中占有一席之地。

　　喬治亞在1936年併入蘇聯，俄羅斯
成為葡萄酒業最重要的市場，設立了許
多大型的釀酒合作社以現代釀酒法提高產
能，葡萄酒的風味也開始俄羅斯化，陶罐
古法釀造紛紛為專業酒廠捨棄，最後只能
保存在自家庭院自釀自飲的非商業釀造。
1991年喬治亞獨立，2008年因領土爭議
與俄羅斯斷交，讓喬治亞葡萄酒業有了重
新轉向的機會，特別是在2001年，透過
義大利釀酒師Joško Gravner仿效卡赫季
的釀法釀出第一批陶罐橘酒之後，讓全世
界開始注意到喬治亞的陶罐古法。

　　幾位在自家庭院釀陶罐酒的先鋒，如
Ramaz Nikoladzec和Soliko Tsaishvili，
以及成立Pheasant's Tears酒莊，定居喬
治亞的美國人John Wurdeman等人的投
身推廣，喬治亞的傳統陶罐釀造終於再度
復興起來，隨著陶罐越來越常出現在全球
各地的自然派酒窖中，喬治亞當地的古法

John Wurdeman

陶罐酒甚至蔚為風潮，即使占比仍然不及一成，但卻讓喬治亞葡萄酒找到自信與驕傲，成為歷史最悠遠的葡萄酒古國所獨有的葡萄酒業特色，甚至在商業上脫離喪失俄羅斯市場的陰影，在全球各處找到更真心更多元的酒迷。

　　但喬治亞傳統陶罐酒復興運動的影響是沒有國界的，在短短的十餘年間，影響散布在全球各產區的自然派釀酒師，從頭開始學習運用陶罐來釀造與培養葡萄酒，以喬治亞卡赫季的傳統釀法為原型，探尋不同形制的陶罐，不同的品種與釀法，已發展創造出許多全新的葡萄酒類型與風格，也讓許多邊緣的產區和被忽視的品種找到了全新的生命。

　　這是喬治亞這個保存陶罐傳統八千年的諾亞方舟，帶給全世界最珍貴的禮物。

不只自然派：
陶罐重回現代酒窖

　　使用陶罐釀酒近年來逐漸形成風潮，各式不同形狀與新舊的陶罐經常出現在自然派的酒窖裡，但不僅如此，即使是經典的主流酒莊，如波爾多瑪歌村的二級城堡酒莊Château Durfort-Vivens或布根地Meursault村的菁英酒莊Roulot，都不約而同用陶罐取代部分的橡木桶來培養葡萄。陶罐的使用雖歷史悠遠，但除了極少數的邊緣產區，其實早被遺忘多時，近年的陶罐酒復興卻是在1990年代末期，從義大利東北部Friuli、Collio產區與斯洛維尼亞西部Goriška Brda產區交界的Oslavia村開始的。

　　村內的釀酒師Joško Gravner放棄原本的慣行釀法，改採古法釀造，從1997年開始在喬治亞Qvevri尖底陶罐內以白葡萄釀造經過長時間泡皮的葡萄酒。白葡萄在陶罐內浸皮好幾個月後才榨汁，釀成顏色深如琥珀色，帶香料與海水氣息以及如紅酒般的澀味質地。這樣的奇特酒風成為主流葡萄酒世界中最早的陶罐橘酒原型。Gravner的轉變雖然毀譽參半，但也開始影響村子周邊的釀酒師，用類似的方法釀酒，逐漸形成一股復興運動，蔓延到義大利各地，最後影響全球葡萄酒業。

Gravner的復古釀造受到喬治亞傳統釀法的直接影響，他在2000年到當地拜訪並引進更多喬治亞陶罐，透過他的引介，葡萄酒世界開始發現喬治亞有八千年歷史的陶罐釀酒古法。但陶罐傳統也曾經存在歐洲各地，希臘時期雙耳尖底陶罐相當盛行，作為裝酒的容器幾乎傳遍全歐，羅馬時期有釀酒用的圓底Dolia陶罐。在西班牙，釀酒師開始找回他們自己的、平底寬身窄口的Tinaja陶罐，因操作更方便，也常被其他國家的釀酒師採用。在葡萄牙南部，當地的傳統陶罐Talha也開始被新世代的釀酒師發掘，重新回到酒窖中釀造陶罐酒。

陶罐的釀造雖然比較容易順其自然而釀成，但釀酒師們在重新學習摸索陶罐的釀造程序時，也開始尋求陶罐釀造的新可能，讓今日的陶罐酒風格越來越多變多樣，各式的酒種和葡萄品種都見得到陶罐的應用。專為釀酒而全新設計與燒製的製陶廠，除了複刻，也開始從傳統衍生新的型制與功能的陶罐，以因應釀酒師們的需要。模仿陶罐形狀的水泥槽、陶瓷槽、人造砂岩槽等等也都一一問市。

短短的二十多年間，陶罐重回了現代釀酒窖，但這只是復興運動的開端。

陶罐釀酒有什麼不一樣？

釀造與培養葡萄酒的容器有多種選擇，在現代的酒窖中，不銹鋼槽、水泥槽、玻璃纖維塑鋼槽和橡木桶是最常見的材質，在自然派的發展過程中，又增添了許多新的釀酒容器，例如蛋形酒槽。但影響更深廣的，是釀酒陶罐的復興，除了找回各地傳統陶罐，也開始依據當代釀酒需求，重新設計燒製各種形制的釀酒用陶罐。

以陶罐製酒最主要的影響在於陶的透氣性以及陶罐的卵狀空間。陶的透氣性讓釀酒過程有更多的氧氣進入酒中，同時也

較容易產生蒸發，這讓陶罐酒通常有較多氧化的影響，新鮮果味減少，轉化成較多香料系或更深沉內斂的香氣，也會因為蒸發而讓口感變得較為濃郁豐厚，有較長的餘味或甚至鹹味感。

陶罐的燒製溫度會直接影響透氣性，讓在罐中培養與釀造的酒產生不同程度的氧化和蒸發速度，通常燒製溫度越高，氧化和蒸發速度就會變慢，影響也會降低。燒製溫度較低的陶罐會有滲漏的風險，如喬治亞的Qvevri或葡萄牙的Talha陶罐，會在陶罐內壁加熱後塗一層蠟，也可能帶

來一些煙燻系的香氣。有些陶罐會埋在土中，也可降低氧化與蒸發的風險，同時會有較為穩定的溫度差變化，甚至可能吸納更多土地中的能量。

　　陶罐大多是圓底的蛋型卵狀空間，在罐內發酵或培養的葡萄酒會因為發酵產生的氣泡以及溫差，在陶罐內部自然產生上下迴流的運轉水流，釀酒師在發酵泡皮階段不需另外進行淋汁或踩皮，萃取較輕柔緩慢，泡皮的時間可以長達數月或甚至一年。發酵過程產生的酒泥主要以死掉的酵母為主，在培養階段，通常沉澱在桶槽底部，透過攪桶可以加速水解，讓酒的口感更加圓潤，但在陶罐中培養，因為有內部

迴流，會有自動的攪桶效果，讓酒的質地更加豐厚。

　　一般而言，採用陶罐釀造和培養因為氧化程度較高，常帶有一些海水氣息和礦石感，除了常有更多變的香氣，也經常微帶有鹹味感，即使是酒體濃厚的類型，因此特別的鹹鮮感也頗為開胃，適合佐餐。陶罐酒早期的發展所釀成的酒風不是特別精緻優雅，但卻常有渾然一體的協和酒體，與相當獨特、古樸深厚的舊時風味。但晚近有更多釀酒師積累更多釀造經驗和選擇製作更精密的陶罐，風味精緻細膩的陶罐酒也開始變得越來越常見。

請肯尼推薦一款配壽司的夢幻陶罐橘酒，他馬上從酒窖裡找出來自義大利 Le Coste 酒莊經過 12 個月陶罐培養的 Bianco de Coccio 2019。

陶罐酒
上餐桌

　　如同經過橡木桶培養的葡萄酒會產生特殊的風味，在餐桌上自能扮演不一樣的佐餐角色，那越來越常見的陶罐酒在佐餐時，會有什麼樣的表現呢？肯自然酒吧店主李庭瑋說：「經過陶罐培養的葡萄酒，在餐桌上有更大的包容性。」不過跟所有佐餐原則一樣，這也只是通例，魔鬼總在細節裡。

早期的陶罐酒以帶氧化風味的橘酒居多，常帶有一些鹹鮮感與香料香氣，酸味也比較柔和。常被暱稱為肯尼的李庭瑋從他的經驗發現，這一類的陶罐酒非常適合用來搭配甲殼類的菜色，即使常被認為很難搭配葡萄酒的蟹黃蟹膏，如大閘蟹、處女蟳、龍蝦湯等等都不太會有問題。中式餐桌中味道偏重、醬汁稍濃的菜色，如三杯類的料理，陶罐橘酒也會是不錯的選擇。但肯尼個人最推薦的，是帶陶罐橘酒去吃握壽司。他說也許有些亮皮魚需要特別留心避過，卻常能超越配握壽司最熱門的香檳氣泡酒。

肯自然酒吧李庭瑋

但在餐桌上實用性最高的，肯尼認為還是陶罐白酒，陶罐發酵和培養即使沒有泡皮也能讓白酒多出一些質地，酒體有較多層次，圓潤感也明顯一些，酸味也會被柔化，在佐餐上和食物會有更好的融合效果，配菜的廣度也會大增，可以一路從開胃菜、沙拉、水煮或清蒸的海鮮到搭配醬汁的肉類主菜，自然也是中式桌菜最好的選酒之一。不過肯尼認為配菜廣度最強的是陶罐淡紅酒，只是目前比較少見。

陶罐釀造的紅酒也自成一格，肯尼說：「在香氣上海潮與香料香氣常取代新鮮的莓果香，比較深沉內斂，陶罐也讓紅酒常變得比較柔順易飲，結構較少，比較不是配牛排的最佳選擇，但雞肉、豬肉或甚至海鮮，即使是較複雜的烹調或醬汁都能扮演優異的佐餐角色。」

成功的餐酒搭配通常有兩種不太一樣的類型，一種是透過彼此在味覺上互補的對比元素成功搭配；另一種，則是將多種味覺元素協調地融合成一體。陶罐酒無論紅、白或橘，都比木桶、不鏽鋼桶或水泥槽來得更加圓融，有獨特的鹹鮮感，也許少了一些銳利的個性，但對餐盤裡的各色味道卻有更好的融合力，這正是肯尼所說的陶罐酒的包容性。

2000年5月，在喬治亞
——《橘酒時代：反璞歸真的葡萄酒革命之路》

文／圖・《橘酒時代》

　　在痛苦的加州頓悟行後十三年，約什克‧格拉夫納（Joško Gravner）終於如願前往葡萄酒的發源地。那時的喬治亞已擺脫內戰或蘇聯的鎮壓蹂躪，格拉夫納也遇到一位會說斯洛維尼亞文且願意協助策劃這次行程的喬治亞人。此外，格拉夫納的新朋友拉茲丹（Razdan）擔任指導和翻譯，甚至僱用了配有衝鋒槍的保鑣，一行人前往提弗利司東部，喬治亞最著名的葡萄酒產區——卡赫季。當時格拉夫納對該區古老釀酒傳統的瞭解，都僅在學術層面。他很想知道，目前是否還有人使用埋在地下的陶罐釀酒。

　　到了2000 年5 月20 日，在導遊的協助下，格拉夫納在喬治亞東部的泰拉維（Telavi）找到一個小型釀酒合作社。在喬治亞文化中，客人是來自上帝的禮物，酒窖的主人備感榮幸，欣喜地打開一只自去年採收後便一直密封著的陶罐。儘管格拉夫納說自己只想嘗一小口那深琥珀色的液體，主人還是用勺子（azarphesha）舀了一大杯酒。

　　他以為他喝的會是相當樸實、簡單的酒，但一口飲盡之後，格拉夫納很快就變得痴迷。「用這種方法製作的葡萄酒讓我感到無比驚訝，喝了下去宛如置

陶罐為何是完美的發酵容器

由於體積龐大，加上傳統做法是將它們埋在地下，陶罐因此得以提供絕佳的溫度調節功能，能有效冷卻發酵溫度，且在不同季節下可以保持非常穩定的溫度。

陶罐越大，發酵溫度也會越高。因此，如果釀酒師擁有不同尺寸大小的陶罐，便能做出另一種細微的控制。一般來說，用於發酵而非陳年使用的陶罐容量為 500-1,500 公升。

陶罐的蛋狀（通常陶瓶也是）據說能在發酵改變內部溫度時產生對流。這樣可以溫和地刺激酒渣，創造出一種不需釀酒師干涉的攪桶（攪拌死酵母使其與葡萄酒接觸，進而增加酒體質地和穩定性。）效果。

陶罐底部的尖點可以收集酒渣（死酵母）、葡萄皮和其他固體（像是如果有使用葡萄梗的話），因為它們會逐漸下沉到底部。由於固體物和葡萄酒之間的接觸面積很小，因此還原性化合物幾乎不可能發展出來。

在葡萄酒保持幾個月不受干擾的情況下，緩慢而溫和的單寧及酚化物萃取過程將會持續進行。這個過程對葡萄酒的穩定性大為有利。長期在陶罐裡的浸皮過程，得以使釀酒師對釀酒過程的干預幾乎為零。當然，也沒有任何額外的添加劑。

陶罐的製造藝術

基本上，陶罐的製造技術類似製作一只巨大的線圈罐：主體是逐層構建的，直到達到需要的尺寸，整個過程可能需要兩到三個月才能完成。陶罐需要乾燥兩到三週，之後才能在巨大的戶外木炭烤箱中進行燒製。陶罐製造商查查‧榭米‧克比拉什維利（Zaza Remi Kbilashvili）指出，每只陶罐只能憑直覺抓出大概的尺寸，因此每只陶罐都是獨一無二的。

陶土的類型很重要，來自伊梅列季的陶土評價最高。格拉夫納便常提到：世上沒有其他地方，能找到污染物那麼少的陶土。

新的陶罐燒製（以 1,000-1,300℃高溫燒製長達一週）後，需要幾天的時間冷卻。當它僅有微溫時，再用蜂蠟輕輕塗在內層。陶罐釀酒專家與學者吉歐吉‧巴利沙西維利（Giorgi Barisashvili）在其著作《以陶罐釀造葡萄酒》（*Making Wine in Kvevri – a Unique Georgian Tradition*）中特別提醒，蜂蠟必須非常謹慎地使用，因為使用蜂蠟的目的並非創造一個氣密空間，而是填補陶罐內一些較大的孔洞。沒有與陶土直接接觸的葡萄酒，無法達到理想的微氧化作用，因此也不會給葡萄酒帶來預期的特色。

有時陶罐的外層會用白灰色的石灰水塗刷，但克比拉什維利則說，大多數自然酒生產者偏好不經塗刷的陶罐。

陶罐不論是放置室內外，總是由頸部以下深埋地裡。如今較為常見的是埋在專用的酒窖裡。

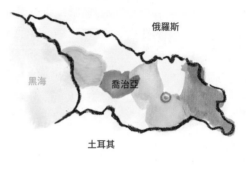

喬治亞葡萄酒主要產區

俄羅斯

黑海　　喬治亞

土耳其

　Samegrelo　　卡特利　　◉ 提弗利司

　伊梅列季　　卡赫季

身天堂。」後來他也提到，這是他在喬治亞品嚐過最美味的葡萄酒。行程結束後，他訂購了11只陶罐，因為他確信再也沒有比這些狀如女性子宮的陶罐更完美的葡萄酒容器了。可惜的是，這批陶罐直到了該年11月才到達義大利的奧斯拉維亞村（Oslavia），已經來不及用來釀造該年採收的葡萄酒。除此之外，因為喬治亞幾個碩果超存的陶罐製造商並沒有長途運輸陶罐的經驗，以貨車運送的陶罐缺乏嚴密的包裝保護，因此僅有兩只陶罐在旅途中得以倖存。

儘管如此，從2001 年開始，格拉夫納開始逐漸用陶罐來發酵。他將陶罐埋在一個新建的酒窖中，創造出沉靜肅穆的氛圍。之後他又花了四年的時間買下近一百只陶罐，最後僅有46只堅固到能在旅途

中倖存，並在埋入地下時不至於破碎。隨著陶罐的使用，他的釀酒方式也有所轉變。起初，格拉夫納以祖傳方法浸皮幾天到一週的時間，如今他將葡萄皮和葡萄梗，與發酵中的葡萄酒一起保存整整六個月，就像在卡赫季的做法一般。這樣的浸皮葡萄酒風格震驚了格拉夫納的顧客，也讓眾人看見這個被隱藏在鐵幕後、非凡無比的古老文化。格拉夫納的第一個陶罐葡萄酒年份（2001年和2002年）也比喬治亞葡萄酒真正出現在西方葡萄酒市場的例子要早。如今過了二十年，喬治亞的工匠釀酒師依然熱切地談論格拉夫納，因為他是第一位讓世界瞥見喬治亞葡萄酒秘密的西方人之一。

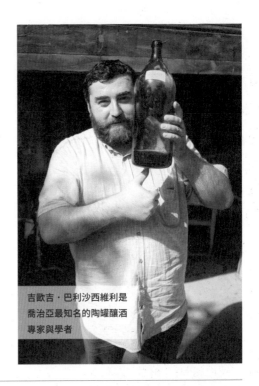

吉歐吉·巴利沙西維利是喬治亞最知名的陶罐釀酒專家與學者

好書推薦
《橘酒時代》

橘酒是世界上最古老、最具特色也最受到誤解的酒。這種傳統釀酒方法曾經淹沒在時間的洪流之中，卻在近年重新受到注目。屬於橘酒的時代已經到來。全球葡萄酒專賣店、時尚酒吧和頂級餐廳爭相展示，但大眾對它的理解卻仍停留在神話、迷信或單純的無知。本書藉由走訪與橘酒心臟地帶相關的人事物及其文化，特別是弗里尤利─維內奇亞─朱利亞（Friuli-Venezia Giulia）、斯洛維尼亞（Slovenia）和喬治亞（Georgia），精彩呈現釀酒師在這些產區所發生的各種故事。除了帶領讀者深入傳統釀酒原鄉探索，也以專業角度提供如何購買、品飲、搭配食物和陳年的建議，並推薦全球橘酒生產者，無論是新手或是專家都能因著本書對葡萄酒有更上層樓的理解與體會。

作者：Simon J Woolf
譯者：王琪
出版社：積木文化

土與火共舞 Terra Cotta：
「喝 自然」陶罐酒釀造計畫

　　和在地酒廠合作，釀造台灣本地的自然酒，是「Buvons Nature喝 自然酒展」從2019年開始的新使命，希望能透過不同主題的釀酒實驗計畫將自然派的釀酒理念和技藝帶到台灣在地的酒業之中。

　　2019年「喝 自然」和威石東（Weightstone）成立B&W釀造團隊，以探尋台灣自然派風土滋味為題釀造了自然派氣泡橘酒。2020年B&W以二氧化碳泡皮為題釀製混釀橘酒；也開始了Malikuda牽手酒計畫，兜結紐西蘭的Kindeli酒莊、台東都蘭部落的出力釀和威石東，讓來自各地的原生酵母一起同槽發酵成跨國界與酒種的混釀酒。2021年以「發酵。再生」理念為發想，策劃了三個不同主題的釀酒實驗計畫，除了B&W和Malikuda，還新增Rewine計畫，將酒窖中剩餘的材料，透過原生酵母再發酵的歷程，融合轉化再生出動人的滋味。

　　2022年的釀酒計畫以「土與火共舞Terra Cotta」為主題，採用來自喬治亞的Qvevri陶罐和苗栗銅鑼窯的陶缸，實驗釀造多款陶罐酒。與威石東合作的B&W計畫，採用木杉葡萄在Qvevri陶罐中進行發酵泡皮，釀成台灣第一批的陶罐橘酒與氣泡酒。牽手酒計畫則分路進行，在出力釀以Qvevri陶罐釀造以糯米酒為主體的混釀酒，在三麥則釀造以葡萄酒為主體的混釀酒，並用剩餘的材料釀成阿米斯皮給酒Amis-Piquette。由土生土長跟三麥合作的Rewine計畫，則用特製的銅鑼窯陶缸釀造客家風味的水果皮給酒。

　　陶罐是最古老的釀酒容器，這次在台灣古法新用，為本地的自然酒釀造，帶來全新的可能和啟發。

B&W 2022：
木杉葡萄與喬治亞 Qvevri 陶罐

　　從2019年「喝 自然酒展」跟威石東一起以B&W為名，開始實驗釀造台灣本地的自然派葡萄酒時，就一直想試試本地葡萄在陶罐發酵和培養的效果。因為台灣現有的釀酒葡萄都是歐洲種與美洲種葡萄的雜交種，沒有任何歐洲種葡萄在台灣可以長出足以量產的葡萄，要用台灣現有的品種釀出歐美主流的經典風味幾無可能。但自然派從古老傳統復興的橘酒和陶罐酒卻給許多非主流品種新的機會。因為經過泡皮或在陶罐中發酵和培養，可以讓葡萄品種的風味有更大幅度的轉化，化腐朽為神奇的機會自然比較高。

　　B&W連著三年的計畫都有白葡萄泡皮的釀造設計，至今最成功的是「2021 B&W釀酒計畫」的「BOBO 005木杉橘酒」，雖是單一品種，但卻是盡可能採用不同的木杉來釀成更完整多變的橘酒，包括不熟的綠果汁、木杉泡皮的橘酒、以垂直榨汁機二番榨的果汁、木杉酒泥等等，全部一起共同泡皮發酵而成。木杉是

台灣新進培育的釀酒白葡萄，算是台灣的特有種，有明顯的荔枝香氣，甜潤但酸味低，有時還帶苦味。BOBO 005雖然也有些荔枝香氣，但還帶有香料與青草氣息，酒精度雖僅8.3％，酒體輕盈，帶鹹鮮感，頗具生命活力，正是所有主流葡萄酒無能釀成的精巧風味。

2022年初，另一個「喝 自然」參與的牽手酒釀酒計畫，成功自喬治亞引進Qvevri陶罐，於是決定第四年的B&W將借用陶罐再釀一次木杉橘酒。採用的是威石東契作、彰化溪湖的木杉春果。雖是幼樹且仰賴較多人工栽培技術種成的葡萄，但健康狀況佳，成熟度高，也有不錯的木杉風味。依計畫要採用千層法，也是B&W第一次採用的釀法，同一批葡萄不同方式處理，分層堆疊，讓發酵與泡皮的環境多元一些，歷程雖然比較複雜，但釀酒師在之後得釀製過程反而不用太費心照料，這是喬治亞傳統陶罐釀造最奇特的地方。

將450公斤的木杉葡萄分三層依序裝進530L的陶罐裡，最底層的木杉先腳踩去梗與破皮出汁後入甕；接著放進手工去梗但果粒完整無破皮的葡萄；最上層放進無去梗的整串葡萄。都放進去之後就等它自己發酵了。待最底層的葡萄汁開始發酵產生二氧化碳，陶罐下部會有一般泡皮的效果，多一些結構，但上部的整串葡萄會有二氧化碳泡皮的效果，有奔放的香氣。發酵的速度也不會太快，一兩週之後再看

看是否需要踩皮，釋放一些整串葡萄內的甜汁讓發酵可以延續。

　　經過八天佛系的懶人發酵，頂層的整串木杉開始有一點點的酒味以及奔放炸開的荔枝檸檬彈珠汽水香氣，決定開始進行踩皮，但試了踩皮棍完全壓不動，最後還是要靠腳踩，才將上層的葡萄破皮出汁。之後又是約二十多天的佛系泡皮與發酵，只是偶而用踩皮棍壓一下表面。蛋型陶罐的好處就在於內部的酒會自己產生上下循環，不太需要釀酒師插手。最後，在第30天進行榨汁，連同自流汁一起進舊的橡木桶培養。

　　一週之後，威石東採收木杉綠果，榨成酸葡萄汁，這種採收季前（夏果）還沒成熟的葡萄榨出來的汁果膠多，很酸，甜味也低，通常不是拿來釀酒，在廚房裡可

以取代醋增添更細緻的酸味。幾年的經驗下來發現用木杉釀酒雖然香氣奔放，但總覺得少了一些活力，添加一些酸葡萄汁一起發酵常會讓木杉有意外的生命力。決定在剛釀成的木杉橘酒加一點綠果汁，一半在橡木桶裡一起二次發酵。另一半則馬上裝瓶，在瓶中進行二次發酵，釀成暱稱為Pét-Nat的自然派氣泡酒。

　　這兩款台灣第一批的陶罐橘酒雖然還未正式上市，但從一路試飲的樣品已經可以看出採用Qvevri陶罐釀造，讓木杉葡萄的風味表現有了新的可能，酒體雖然輕，酸味仍不算強勁，但卻有一股新鮮感與鹹感讓酒充滿活力，陶罐激發了一些潛力，讓飲家，也包括我自己，不會再小看木杉。

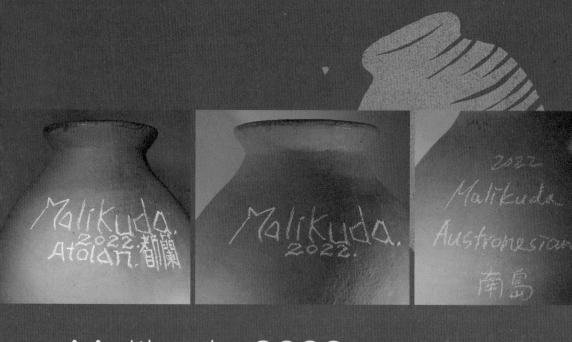

Malikuda 2022：
喬治亞 Qvevri 陶罐牽手酒

Malikuda是以阿美族傳統牽手舞為名的釀酒計畫。阿美語中所謂的Mipaliw（米耙流），即一起共同努力互助分工，是釀造這款酒最核心的精神，讓跨越文化、國界及酒種的多方元素，一起同槽發酵成牽手酒。但奇妙的是這個需要多方交流協力的釀造計畫卻是起始於因疫情封閉國界，人際的交流層層阻隔的2020年，似乎有股神奇的力量牽引著牽手酒計畫不斷跨步邁進。

首釀計畫想要連結南島起源的台灣和最晚近抵達的紐西蘭。都蘭部落出力釀以阿美族傳統酒麴釀成的糯米酒，與紐西蘭狐狸之家酒莊（Kindeli）的自然派混釀淡紅酒是主體元素，威石東酒莊則扮演將兩方連結的角色，添加進卓蘭的巨峰葡萄，以不同比例釀成「都蘭牽手酒」和「南島牽手酒」，前者以糯米酒為主體，後者有更高比例的葡萄酒。雖是實驗性釀造，卻是意外的成功。於是有了第二年的阿米斯皮給酒（Amis-Piquette）計畫。

皮給酒是一種源自歐洲傳統，卻在晚近由新世界自然派釀酒師重新復興的酒種，將酒窖剩餘的材料再發酵成低酒精、更輕鬆爽口的氣泡飲料。在形式上似乎很適合以混釀為核心的牽手酒，經過多次的

試驗，首釀的「阿米斯皮給酒」使用都蘭
的糯米酒粕、台灣的巨峰及黑后葡萄皮、
紐西蘭葡萄酒，新加入牽手酒團隊的金色
三麥也帶來麥芽粕、龍眼蜂蜜水一起同
槽，發酵成酒體輕盈卻滋味豐盛多變的皮
給酒。最特別的是，發酵過程中還發現酒
窖裡播放的音樂對發酵的進行有意料之外
的影響。

　　短短兩年的實驗釀造，竟然成功釀
成三個風味完整獨特的牽手酒原型，共同
創立計畫的新生活葡萄酒在喬治亞釀酒師
的協助下，順利引進兩個非常難得，需全
手工製作、自然風乾以及長時間柴火窯燒
的Qvevri陶罐，讓牽手酒在這種已經流傳
八千年、如蛋形的尖底容器中共同融合發
酵的癡人幻想，竟然得以在第三年就真的
美夢成真。

　　南半球的採收季較早，2022年的
牽手酒計畫在3月份就先從狐狸之家
酒莊開始，由釀酒師Alex Craighead
將酒莊所在的南島Nelson產區的白
蘇維濃（Sauvignon Blanc）與麗絲
玲（Riesling），和北島霍克斯灣
（Hawke's Bay）的梅洛（Merlot），一
起做黑白葡萄混釀，發酵完成後連同果皮
一起運到台灣。新計畫的挑戰在於團隊必
須重新學習尖底陶罐釀造的操作，特別是
要在都蘭部落釀造都蘭牽手酒，出力釀從
原本50公升的釀酒桶製程，調整成520
公升的喬治亞陶罐以及120公升的銅鑼窯

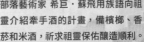
部落藝術家 希巨‧蘇飛用族語向祖
靈介紹牽手酒的計畫，備檳榔、香
菸和米酒，祈求祖靈保佑釀造順利。

出力釀挑戰喬治亞陶罐與銅
鑼窯陶缸──都蘭牽手酒

金色三麥酒窖開釀——
南島牽手酒

陶缸。雖然傳統的阿美陶也用來釀酒，但已經失傳多時，這次對出力釀也許正是一次在未來重現阿美陶釀酒傳統的預習。

　　喬治亞陶罐運送到都蘭在拆封下棧板前，特別請部落的藝術家Siki Sufin（希巨‧蘇飛）準備檳榔、香菸和米酒向祖靈介紹牽手酒的釀造計畫和喬治亞的陶罐，祈求祖靈保佑這次釀造可以順利完成。陶罐跟陶缸都先各裝滿一半，蒸熟吹涼拌入傳統酒麴的糯米，醣化四天後發酵啟動，再加入狐狸之家的葡萄酒、金色三麥的麥汁、彰化溪湖的蜜紅葡萄和一小桶發酵中的南島牽手酒。就在十天之前，南島牽手酒已經先在金色三麥的酒窖開釀，釀造的原料雖然一樣，但卻是以狐狸之家的葡萄酒為主體，採用喬治亞陶罐，也釀了一些在不鏽鋼桶做比較。

　　這回的釀造發現陶罐發酵的速度比較緩慢和穩定，可以有更長的同槽泡皮時間，釀酒師也不需要太常壓皮或照料，只需等待酒自己發酵完成即可，是一個更適合佛系釀造的完美容器。南島跟都蘭都各發酵泡皮31天和23天，比往年頂多一週的時間多上數倍。在出力釀，從陶罐和陶缸取出自流汁之後，剩餘

的酒粕馬上運往金色三麥在隔天和南島牽
手酒的酒粕、木杉陶罐橘酒皮、二林黑后
葡萄和果皮、紐西蘭葡萄酒、阿度蘭農場
的百花蜂蜜和麥芽粕一起，在喬治亞陶罐
開始釀成阿米斯皮給酒。

　　從紐西蘭狐狸之家的酒窖開始，再到
金色三麥和出力釀，都蘭國的大鼻為我們

錄製都蘭的海浪聲、山林聲，配上部落的
歌聲、都蘭歌手舒米恩的阿美族創作曲，
以及阿美族跟毛利族歌手們一起創作的
合唱曲《想念》，一路陪著這些酒一起發
酵，只希望在這些酒的各個元素中，無論
是陶罐發酵或培養，都能嵌進都蘭的記憶
和律動，是這個太平洋岸神奇的阿美族小
村，孕育了這個跨南島的牽手酒計畫。

喬治亞陶罐中釀成
——阿米斯皮給酒

Rewine 2022：
銅鑼窯與北客風味皮給酒

文・顧瑋／圖・林裕森、顧瑋

　　起因於2021年的BN+「發酵、再生」釀酒計畫，ReWine參考渣釀再生皮給酒的做法，以台灣水果為題，收集了威石東的酒粕葡萄皮、台灣在地果物、花蓮的龍眼蜂蜜，由金色三麥釀造，發表了4+1款台灣水果皮給酒。如其名，我們期待藉由發酵生命的延續，風味的延伸，讓剩餘不必然浪費，葡萄酒循環起來。

　　ReWine 的第二年，除了延續去年的渣釀水果再生酒的概念，順應著2022年「喝　自然」主題Terra Cotta陶甕酒，Rewine與B&W、Malikuda構成了三個BN+自然釀酒實驗計劃，要運用不同容器對照釀造，而我們也用上了陶甕：商請苗栗銅鑼三代傳承老窯場特別做的，無上釉與薄釉的手

擠坯客家陶甕。

不同於穿越了時間與空間來的喬治亞陶甕，銅鑼窯的陶甕是用手一條一條坯土盤接成的，繞著泥坯一轉也是個一甲子，可醃缸可酒甕，器傳承著生活也傳承著藝，唯用得以繼。

陶甕作為發酵容器，求的就是密而不閉，微透一點點氣，跟酒一起呼吸這樣。所以雖然製陶者依循經驗（與常識）盡心盡責地建議我們上釉，但我們還是留了一支沒上，一支千萬交代要上很薄且只上一面這樣。然後果然沒上釉的甕真會漏，只好接著找來蜂蠟，烤融了趁著甕熱淋上去，完成YOYO（薄釉版）跟LALA（蜂蠟版）兩支特規版台客酒甕。

容器有了，今年釀什麼呢？第二年的水果計畫，只選物產略顯單薄了些，既然用了北客的陶，那就把上下文鋪陳出來，來做個北客的酒吧！說起來葡萄皮渣釀這麼循環不浪費的事，精神本客，順理成章；於是我們選來了竹東丘陵年年豐產且有餘的酸桔，常被混進百花裡、但還好仍有養蜂人分著收的油桐花蜜，收集了威石東葡萄酒發酵後剩的各種果皮——蜜紅、巨峰、木杉、黑后，一點啤酒的麥汁，靠著依附著葡萄皮的原生酵母，開啟了混釀的酒生。

兩支甕雖然看起來差不多，釀程卻

有差；開釀不到十日YOYO那甕酒就澄清了（LALA還沒），理論上透氣差些的居然跑比較快，只能說發酵實在是讓人很不懂；可以肯定的是，桔皮有夠香有夠搶戲——芸香科的物產就是這麼不甘寂寞……

皮給酒作為雖古老、但晚近才重出江湖的葡萄酒飲料，可能還是更常被看待為飲料，不過這樣也好，飲料不顯老，日常、開放、有生命力（感謝野生酵母在役），地域時令下的自由式，不一定入得了廳堂，但肯定上得了餐桌。一桌澎湃的客家菜，佐上一杯北客皮給酒，多麼快意，多麼圓滿！

Arlindo 教授酒窖中的陶甕

陶甕回歸葡萄牙——

《腳踩葡萄——遺落在時光裡的葡萄牙酒》

文／圖・《腳踩葡萄》

《橘酒時代》作者賽門（Simon J. Woolf）在挖掘喬治亞、斯洛維尼亞、義大利等陶罐酒歷史後，提出疑問：「葡萄牙酒這麼好，為什麼愛好葡萄酒的世界對它的理解少之又少？」

葡萄牙迄今仍保留許多傳統，例如花崗岩石槽腳踩葡萄、田間混種園、陶甕酒等古老釀酒傳統，其中陶甕酒傳統可追溯至2000年前羅馬時代。從賽門與陶甕釀酒師的互動與言談中，不難看出葡萄牙人對傳統的堅持，例如復興陶甕酒的重要推手Arlindo Ruivo，在當地被尊稱為「教授」，他的接任釀酒師Teresa曾語帶堅定地說：「不管你做什麼，別把葡萄牙陶甕稱為Amphoras，它們是Talhas、與Amphoras不同，就像喬治亞的生產者不喜歡他們的陶甕Qvevris被稱為Amphoras。」

位在葡萄牙中南部的阿連特茹（Alentejo）是陶甕酒重要產區，區內城鎮例如阿爾瓦鎮（Vila Alva）、庫巴（Cuba）、維迪蓋拉（Vidigueira）與弗拉迪什鎮（Vila de Frades），數百年來家家戶戶皆有自己的釀酒陶甕，根據統計，在陶甕酒鼎盛年代，僅弗拉迪什鎮內就有138個活躍的陶甕酒莊。但在Salazar獨裁政府於1960代推行釀酒合作社後的十年間，酒農更傾向將葡萄出售給釀酒合作社，因為直接出售葡萄更為簡單，同樣可取得收入且經濟更有餘裕，對

「教授」Arlindo Ruivo

José Galante, Adega Zé Galante

酒農來說何樂而不為？ 釀製陶甕酒不僅非常耗費體力，產量相對低且釀製技術困難，因此在當時的政策推行下，陶甕酒傳統逐漸消失。

葡萄牙陶甕酒完全靠天然酵母菌啟動發酵，逸散至陶甕頂部的二氧化碳會

33

José Miguel Figuereiro 在
Adega Mestre Daniel 酒窖為
陶甕重上傳統天然塗料

形成防氧化層，釀酒師一天中必須推散酒帽（cap）至少兩次，確保甕內的壓力得到釋放，否則陶甕內壓力過大有可能會爆炸，也因為如此，通常在酒窖地底下會埋下備用陶甕（Ladrão，葡文意指「小偷」），如果不幸發酵時陶甕爆炸，底下的陶甕還可回收部分酒液。

陶甕發酵同樣有溫控的方式，釀酒師會從陶甕頸淋下冷水，水順陶甕表面而下的過程會帶走熱量，這樣的方式聽來原始，但卻相當見效，發酵溫度可從駭人的40℃降溫至20℃，避免酒液過熱產生燉煮風味而喪失應有的果韻。

一旦發酵完成，釀酒師會在酒的液面淋上橄欖油形成隔絕氧層，釀製陶甕酒的專家Arlindo Ruivo教授表示，最好的陶甕酒只會淋上最優質的橄欖油，有時候甚至在品飲陶甕酒的時候，都可嗅到幽微橄欖油的芬芳，這並不是一件壞事。大部分釀

酒師為隔絕蒼蠅侵擾，也會在封口陶甕時套上黑色塑膠袋，或甚至外觀精美的繡花布。

根據傳統，陶甕酒會靜置到聖馬丁日（o Dia de São Martinho，也就是該年11月中最靠近11號的週日），就可以被飲用了，釀酒師會拿一根木製細管（batoque）戳入陶甕底部原本密封的洞，酒液會一滴一滴緩慢地被引流至集酒的專用容器（alguidar）。在這段期間，整村內的酒窖都會奏出陶甕酒的滴聲交響樂，這樣的過程緩慢且極需耐心，因為堆積在陶甕底部的葡萄梗相當密集。如果是白葡萄釀製的陶甕酒，那引流出的酒會是透明美麗的琥珀色，如果是紅葡萄或紅白葡萄共同發酵，就會呈現深紫色或是粉紅色。

「教授」Arlindo Ruivo也表示，陶甕酒無比地珍貴，不僅要透過嗅覺與味覺

品嚐陶甕酒，更要透過聽覺感受迷人的滴注聲，才能體悟陶甕酒的全貌。陶甕酒透過最自然低干預的釀製方式，才能展現葡萄的潛力。

然而，Salazar獨裁政府更進一步規定酒農如果出售葡萄給合作社，就不能販售自釀酒，這直接導致陶甕酒走向式微。陶甕相關文化因此在世代之間逐漸被遺忘，製作陶甕的工匠或施塗天然塗料於陶甕內壁的師傅也凋零，相關技藝面臨失傳的可能。

實際上，製備天然塗料「Pês」與施塗於陶甕內壁工藝水準要求極高，而且非常耗費人力。天然塗料由松脂混和橄欖油與其他天然材料，例如月桂葉，待材料混和後會直火加熱至半凝固狀，然後塗在陶

甕內壁，以填補孔隙。在施作前，陶甕須先倒置於明火上緩慢加熱，且唯有透過觸摸才知道是否已達理想溫度。接下來，將Pês倒入並旋轉陶甕，確保塗料均勻地分佈在陶甕內壁。如果Pês的成份中天然樹枝、橄欖油與蜂蠟的比例不正確，或內壁塗層不均勻過厚，都有可能會因此影響最後酒的風味

所幸，從1990年代開始在「教授」與Domingos Soares Franco、Ricardo Santos等復興傳統、承先啟後的陶甕釀酒師的努力下，葡萄牙陶甕酒已從消逝的懸崖邊緣被拉回，製作陶甕的工匠或天然塗料師傅也重新找回一度被認為失傳的技藝。在近30年的摸索後，阿連特茹人終於發現曾一度被遺忘的陶甕與釀酒傳統，是無可替代的寶貴資產。

好書推薦

《腳踩葡萄——
遺落在時光裡的葡萄牙酒》

作者：Simon J Woolf、Ryan Opaz
譯者：柯沛岑、萬智康
出版社：無境文化

《橘酒時代》作者 Simon J Woolf 在挖掘喬治亞、斯洛維尼亞、義大利等陶罐酒歷史後，輾轉來到了歐亞大陸最西端——葡萄牙，透過歷史文化的鋪陳與一個個精采動人的故事，描繪出葡萄牙葡萄酒的輪廓。「葡萄牙酒這麼好，爲什麼愛好葡萄酒的世界對它的理解少之又少？」《腳踩葡萄》這本新書正是 Simon 與攝影師兼共同作者 Ryan，在數年間多次走訪葡萄牙，將無數次的品飲與研究彙集成冊的長篇回答。

日台合作：
逆境中的南陽風土陶罐酒

文／圖．林裕森

　　位處日本東北的山形雖是該國前四大產區，但種植最多的，大多是美洲種葡萄，如尼加拉（Niagara）和德拉維爾（Delware），這些原產於北美東部的葡萄具有明顯的、被稱為狐狸味（foxy）的土壤與青草香氣，和主流的歐洲種葡萄（Viti Vinifera）風味截然不同，不太容易馴服，要釀成優雅精緻的風味更是難上加難。

　　2019年在台北的酒展中遇到葡萄共和國酒莊（Grape Republic）的釀酒師矢野陽之（大家都叫他Haru），他們的酒廠就位在山形縣南陽市，採用的也大多是

當地的葡萄，Haru用這些有如雜牌軍的品種釀成的酒卻是出乎意料的好喝。雖然酒精度很低，也帶些狐狸氣味，但卻清爽內斂，有多層次變化，開胃的酸味和鹹味相當耐喝，和山形當地其他老牌酒莊簡單直白的樣貌極其不同。

大量採用陶罐進行發酵和培養是葡萄共和國酒莊最核心的成功方程式。酒莊自創立初始就有17個來自西班牙的Tinaja陶罐，在其間釀製，讓葡萄品種的特性有更明顯的轉變，表象的香氣化去，留下更本質的東西，除了更樸實、更多鹹鮮味，也能讓酒更顯生命力量。在遇到Haru一週後，又遇到花田酒莊（Fattoria al Fiore）的釀酒師目黑浩敬，他的Anco

Delaware 2018，也是把美洲種葡萄放進陶罐中進行六個月的發酵和泡皮，釀成海水和香料系的香氣，質地完滿協調，低酒精度卻有出乎意料的渾厚酒體。

這讓我意識到，處在葡萄酒世界邊陲的台灣，最值得學習的地方可能不是歐美和紐澳，而是和台灣有著許多類似困境的日本，如潮濕多雨，如雜交種葡萄，都是國際主流產區不需面對的問題。最值得拜訪的甚至不是以甲州葡萄聞名的山梨縣，而是更偏遠的東北地區，新興的自然派正帶來許多新的釀酒可能，如陶罐，如泡皮，正發展出全新的精采風味。

從2020年開始，葡萄共和國就和台

灣的新生活葡萄酒釀造日台合作的南陽風土陶罐酒，說是合作，但礙於疫情，只能是台灣限定酒，一直盼到2022年的採收季才得以前往山形和Haru一起釀造第三個年份的南陽風土。

將多種品種、不同釀造手法體現的葡萄酒進行混調，也是葡萄共和國的特色，最成功、最迷人的酒都是混調多種葡萄而成，同槽發酵，一起釀成完整合一的協調感。但2022年的南陽風土將直球對決，只用德拉維爾釀造，這個皮薄、顏色淡紅的葡萄常有香水般的花果系香氣，甚至也會有葡萄人工香精氣味，很難單獨釀出風味細緻的酒，必須要做特別的安排才能成功。

第一步是採用兩個不同地區的德拉維爾。第一天採收的是酒莊所在的新田區，這邊濕度較低、溫差大、氣溫較冷涼，葡萄酸度特別明顯。第二天採收的是南陽最知名的金澤葡萄園。位在朝南向陽的石灰岩陡坡上，葡萄明顯地更甜熟，香氣更奔放，皮厚帶澀味。兩處的葡萄似乎相異卻又互補。

第二步是低溫冷藏，兩天採收的550公斤葡萄先在6℃的冷藏室降溫兩天。

第三步是陶罐釀造，Haru 幫我們選了一個埋在地下、容量700公升的西班牙Tinaja陶罐。

　　第四步是分多層處理：第一層先手工去梗150公斤進陶罐，再用腳踩出汁；第二層繼續放進手工去梗260公斤，維持完整的葡萄果粒，最上層放入137公斤完整的整串葡萄。這和今年在威石東釀造的B&W 2022陶罐橘酒的釀法相類似，雖然麻煩一些，但通常可以讓風味簡單的葡萄釀出更內斂深厚，多變且耐飲的滋味。果串迷你，果粒微小的德拉維爾手工去梗更加耗時，五人花了一整日才完成。封罐前Haru添加前幾日採收，發酵中的德拉維爾葡萄汁當起始酵母（pied de cuve）。

　　第五步則是人工腳踩，Haru在4天後開始進行踩皮，讓發酵慢慢完成，泡皮三週之後進行榨汁，改放入不銹鋼槽進行培養，預計明年中就可以裝瓶了。相較於使用4種葡萄、在陶罐只泡皮7天的「2021年南陽風土」，應該會很不一樣，跟輕巧可愛的2020年分甚至會更不相同，期盼最後可以更深沉內斂一些，個性更強烈一些，雖然酒精度一樣都只有10%。

　　10%的酒精度在山形或彰化其實都已經相當成熟了，但這是只有台灣和日本才能懂得的秘密，糟糕的環境讓我們學會只要願意面對和接受缺陷與不足，任何葡萄和環境的逆境都有機會轉化成葡萄酒裡最不可或缺也最迷人的風土特質。

復古的創新滋味：
「喝 自然」酒款 21 選

文／圖・林裕森

創立於 2016 年的「Buvons Nature 喝 自然」酒展，每年會依據策展主題從參展的酒中選出主題選酒，2022 年第六屆以「復古的創新滋味與陶罐酒的復興之路」為主題，挑選了 21 款代表性的選酒，都是台灣市場上可以找到的酒款。無論是混種與混釀、Pét-Nat 自然派氣泡酒、泡皮橘酒、氧化培養和陶罐釀造等等，都是自然派帶給葡萄酒世界的珍貴禮物。其中最特別的，是經過陶罐發酵或培養的 11 款自然酒，有八千年的 Qvevri 古法，也有現代的 Magnum 蛋型陶瓷罐釀造，正是自然派不斷自復古中創新，多元多樣發展的最佳寫照。

Domaine de L'Ecu, Carpe Diem, Melon Blanc, 2018

酒莊主 Fred Niger 是 Muscadet 產區的陶罐酒先驅，每年在多種陶罐中釀造多種品種，但這款 Carpe Diem 是酒莊最精采、唯一以當地傳統 Melon 所釀成的陶罐酒。採用來自花崗岩的 Melon 葡萄，在地下水泥槽完成發酵後經過長達 15 個月的陶罐培養，讓向來清爽多酸的 Melon 葡萄竟能在柑橘系香氣味散發丁香與海水氣息，更釀出相當豐厚、多層次變化的圓潤質地，但最妙的是全然不失種植於花崗岩風土的 Melon 精細與相當開胃的爽朗感。

產區：法國羅亞爾河
品種：Melon de Bourgogne
類型：陶罐白酒
酒精度：12%
進口商：心世紀

Szóló, Parlando, 2017

這是一家由年輕夫妻 Timea 和 Tamas 在 2014 年創立、小量手造生產的自然酒莊，位在自然派和有機耕作相當少見的貴腐甜酒產區托凱伊。這款僅產 776 瓶，採用當地原生品種釀成的陶罐白酒，有特別清麗明亮的優雅風格，原因在於酒莊用來發酵與培養的，是比一般手造陶罐製作更精密、燒製溫度更高的 Magnum 蛋型陶瓷釀酒槽，有陶罐的優點，但較少氧化的風險。香氣頗為豐盛，蜜桃與蜂蜜主調外有礦石感的內斂氣息。雖微有甜感，但配上強勁活潑的酸，反成帶律動的優雅質地。

產區：匈牙利 Tokaj
品種：Furmint 90%、Hárslevelű 10%
類型：陶罐白酒
酒精度：13%
進口商：多卡伊

XXVI Talhas, Mestre Daniel, Talhas X, Branco, 2019

這是釀酒師 Ricardo Santos 和同村友人，為了復興 Talhas 陶罐酒在 2018 年成立的新創酒莊，位在傳統陶罐酒核心區的 Vila Alva 村內已經歇業 30 年的 Adega do Mestre Daniel 酒窖內，擁有 26 個珍貴的老罐。這款單罐橘酒選自酒窖內編號第十號的 Talha 陶罐，只產 1150 瓶。選用村內混種許多傳統品種的老園，全部去梗後略微破皮，進 1100 公升的陶罐以無添加、無控溫的古法發酵泡皮 60 天。釀成溫柔易飲中帶著新鮮活力，杏桃果乾與香料香氣齊發的美味陶罐橘酒。

產區：葡萄牙 Alentejo
品種：Diagalves、Manteúdo、Antão
　　　Vaz、Perrum、Roupeiro
類型：陶罐白酒
酒精度：11.5%
進口商：萬憂解

Finca Mas Perdut, Endogen,Vinyes Velles Xarel-lo, 2020

擁有 150 年歷史的葡萄莊園，卻是在 2010 年才由第五代開始自己少量手工釀酒。這瓶白酒產自一片 Penedès 低海拔地區的 66 年老樹園，採用的是過往多用來釀造 Cava 氣泡酒的 Xarel-lo 葡萄，但貧瘠黏土地低產的 Xarel-lo 更適合釀製無泡酒。先在不鏽鋼槽完成發酵後在三種不同材質的容器中進行培養，70% 在合歡木桶，25% 在陶罐，剩餘的放進 45 公升裝的 demi-john 玻璃罐，最後再混調在一起。合歡木雖然較中性，但仍有香草與烤杏仁的木桶香氣，配上一些香草植物、蜂蜜與果香，均衡多酸，微帶細緻苦味，營造出多變的細節層次。

產區：西班牙加泰隆尼亞
品種：Xarel-lo
類型：陶罐白酒
酒精度：12%
進口商：深杯子

Bénédicte & Stéphane Tissot, Arbois, Poulsard en Amphore, 2020

釀酒師 Stephane Tissot 雖以釀製風格最多樣的黃葡萄酒聞名，但也是侏羅區的陶罐酒專家，在陶罐中釀造多種當地的傳統品種，主要採用厚壁平底的 420 公升法國陶罐。其中這款以顏色淺淡、質地細緻的 Poulsard 葡萄釀成的陶罐紅酒，有最明顯的細膩表現。葡萄先以傳統木格柵手工去梗，沒有破皮，入陶罐泡皮發酵 3 個月，榨汁後再放回陶罐培養 3 個月。完全無添加無過濾裝瓶，釀成顏色淡橘，帶海水礦石與一些野性香氣，混揉紅漿果與煙燻皮革，漫長的泡皮卻讓單寧質地異常的絲滑柔美，成為可口多汁的細膩紅酒。

產區：法國侏羅區
品種：Poulsard
類型：陶罐紅酒
酒精度：12.5%
進口商：維納瑞

Pheasant`s Tears, Poliphonia, 2019

喬治亞不僅是陶罐酒的原鄉，更是歐洲種葡萄的起源地，有最多樣的原生種葡萄，雖因蘇聯時期的限種政策遭遇浩劫，但仍保存於老樹園中。這款以喬治亞複音音樂 Poliphonia 為名的陶罐紅酒，採用酒莊種有 128 種原生品種的保育苗圃，各種黑、白葡萄採收後全部在 Qvevri 陶罐中一起混釀泡皮發酵而成。酒莊主 John Wurdeman 為了複音音樂自美國移居喬治亞，卻意外創立 Pheasant's Tears 酒莊，成為復興傳統陶罐酒的先鋒，這瓶似紅酒又像橘酒的美味陶罐酒，正是他人生故事的最佳寫照，雖然充滿驚奇，但卻是自然無造作的完美和諧。

產區：喬治亞 ,Kakheti
品種：117 個品種的混種園
類型：陶罐紅酒
酒精度：12.7%
進口商：新生活葡萄酒

Bodegas Puiggròs, Exedra Negre Amphora, 2018

這是一款產自西班牙東北部高海拔山區的格納希紅酒，Bodegas Puiggròs 雖有上百年的釀酒歷史，卻是近十餘年才開始自己裝瓶上市，在釀造上也較為前衛一些，採用復古的西班牙陶罐釀製。晚熟的格納希在海拔 650 公尺的山區要到 10 月才採收，葡萄先在陶罐和不鏽鋼槽泡皮發酵，榨汁後入 380 公升和 720 公升的西班牙陶罐培養 10 個月。特殊的風土條件與陶罐培養，讓這瓶高酒精度的格納希紅酒展現鮮美可愛的獨特風味，森林漿果香氣融合香料與甘蔗氣息，酸味靈動，質地絲滑，釀出格納希少見的留白與柔美滋味。

產區：西班牙加泰隆尼亞
品種：黑格納希
類型：陶罐紅酒
酒精度：14.5%
進口商：蓓朵思

Weingut Heinrich, Graue Freyheit, 2019

雖是產自奧地利西部布爾根蘭的 Leithaberg 區，但這款陶罐橘酒卻是以三個來自布根地的品種一起泡皮混釀而成。Heinrich 是一家自然動力農法酒莊，在生產許多傳統經典酒款之餘，也以 Freyheit 系列釀造風味更自由的自然派酒款。混釀的三個布根地品種來自不同風土的葡萄園，手工採收後，以原生酵母先在不鏽鋼槽發酵與泡皮 14 天，榨汁後在陶罐以及大型木槽中培養 19 個月後無過濾直接裝瓶。雖是無添加的自然釀法，但酒風乾淨與精確，火藥礦石系的酒香伴著一些紅色莓果，質地細滑彷如介於橘酒與淡紅酒間的創新酒種。

產區：奧地利 ,Burgenland
品種：白皮諾 50%、夏多內 25%、灰
　　　皮諾 20%、Neuburger 5%
類型：陶罐橘酒
酒精度：12.5%
進口商：酩洋

Domaine des Roches Neuves, Saumur, Terre, 2019

由 Thierry German 所創立的自然動力法酒莊以忠實於葡萄園的純淨酒風聞名，即使是釀造風格更強烈的陶罐酒亦是如此。採用產自石灰岩與打火石葡萄園的 Chenin Blanc，放進半埋在地下酒窖裡，400 公升的義大利陶甕中發酵泡皮四個月，榨汁後換到橡木桶中培養一年，完全無添加少干預，直接裝瓶。酒色深黃，帶有許多礦石、香料與橘皮香氣，陶罐與泡皮雖讓原本酒體高瘦銳利的石灰岩 Chenin Blanc 有較為圓潤豐滿、微帶澀味的質地，但卻也保留了通透精細，充滿生命活力與海水鹹感的經典礦石風。

產區：法國羅亞爾河
類型：陶罐橘酒
酒精度：13.5%
進口商：翰品

Ocho Wine, What ru waiting for? Kisi, 2021

跟 DoReMi Wine 一樣都是 2012 年才創立,由同一群 Kakheti 區內的葡萄酒友共組的釀造團隊,雖然新,但卻執著於數千年的古法釀造,善用傳統創造出摩登現代的潮流酒風。Kakheti 區的原生葡萄 Kisi 因為產量低,在 20 年前曾幾近絕種,採用傳統陶罐泡皮法釀製常有獨特的芒果和杏桃果醬的甜熟果香,正如這瓶在傳統 Qvevri 陶罐中以完全無添加的古法泡皮發酵 6 個月的迷人橘酒。果香外也有丁香與煙燻系的氣息。雖然多酸,但酒體顯得深厚且飽滿,單寧柔化,配上甜熟果香,有喬治亞陶罐橘酒意料之外的美味可口。

產區:喬治亞 Kakheti
品種:Kisi
類型:陶罐橘酒
酒精度:12.5%
進口商:品芙

Microbio Wines, La Resistencia, 2020

莊主 Ismael Gozalo 雖是西班牙釀造 Verdejo 最頂尖的專家,卻遠離其他酒莊,身處海拔超過 800 公尺偏遠高原的 Nieva 村中。這裡有原根種植的百年 Verdejo 老樹,擁有驚人的釀造潛力。這款 2018 年才首釀的陶罐酒,葡萄壓榨後直接入 1,800 升、250 年歷史的 Tinaja 陶罐,進行緩慢的發酵與培養,歷時 8 個月後無過濾裝瓶。因葡萄特性強烈,低干預、少添加釀成的是絕不流俗、質地堅實的內斂滋味,酸味如結實的肌肉架起高遠的格局,散發溫順但堅強的松針與香料氣息。以古法,卻釀出全新格局的 Verdejo 白酒。

產區:西班牙 ,Castilla y Leon
品種;Verdejo
類型:陶罐白酒
酒精度:13%
進口商:Salud

Domaine Gauby, Côtes Catalanes, Jasse, 2020

無論紅白酒,Domaine Gauby 都早已是 Roussillon 產區的偉大經典,而這款蜜思嘉葡萄泡皮發酵的橘酒,也儼然成為法國教科書級的橘酒風格。或老或幼樹、或板岩或合石灰岩,酒莊把所種的各式蜜思嘉葡萄全部湊一起,連梗帶皮整串一起進酒槽泡皮發酵,三周後榨汁,繼續在水泥和木槽中培養 6 個月後裝瓶。酒色雖變成偏磚紅的老金色,但卻有細膩變化的奔放香氣,雖以香料系為主調,但也有糖漬橘皮、百香果與花香陪襯,口感卻是出乎意料的輕巧多酸,雖仍有緊實澀味,但卻是優雅質地下力道和生命力的支撐。

產區:法國 Roussillon
品種:Muscat à Petit Grains
類型:泡皮橘酒
酒精度:12%
進口商:詩人酒窖

Les Cigales dans la Fourmilière, Cuvée La Polonaise, blanc, 2021

Julie 和 Ivos 是一起分工合力釀酒的情侶，他們的酒雖然產自乾熱的地中海岸，但無論是哪一種類型，總是輕巧多汁，美味易飲，而且常有像是赤腳踩在泥土地的野趣。這瓶以波蘭女子為名，用小粒蜜思嘉和夏多內一起泡皮發酵混釀成的橘酒，組合雖奇異，卻是十足的 Julie 風格，有奔放的香料與木系香氣配上杏桃果香，僅有 10.5% 的低酒精度，輕巧柔美，質地溫潤，微微的澀味與酸，頗清爽也頗開胃，相當特別的 S 號橘酒，可以連著喝上好幾杯，最後留下爆米花與細緻的冬瓜茶餘香。

產區：法國蘭格多克
品　種：Muscat à Petit Grains、Chardonnay
類型：泡皮橘酒
酒精度：10.5%
進口商：是酒

Podere Pradarolo, Vej Bianco Antico 210, 2020

義大利中北部的原生葡萄品種，Malvasia di Candia Aromatica 香氣奔放，質地豐厚，是頗為優秀的橘酒品種。由 Alberto Carretti 創立的老牌自然派酒莊 Pradarolo 通常會發酵泡皮至少 90 天，但有時會更長，例如 2016 年長達 270 天才進行榨汁，這瓶 2020 年份則如標籤上所示，在無控溫的酒槽中浸皮 210 天後進法國橡木桶培養。釀法非常老式復古，酒的風味也是，磨砂感的琥珀酒色配上帶著嫩薑系的花果茶氣息，連口感質地都像是細緻的冰茶，奔放卻樸實穩健，有札實的內裡，適慢飲，也頗具耐久潛力。

產區：義大利 Emilia-Romagna
品種：Malvasia di Candia Aromatica
類型：泡皮橘酒
酒精度：14%
進口商：桀果

Azienda Filarole, Fatto Coi Piedi, 2020

這是一款來自義大利中北部 Val Tidone 河谷相當珍貴的混釀橘酒，因為葡萄來自一片荒廢四年後被救回的 60 年老樹園，搶救回來的古園中混種了在地的多種古種葡萄。酒莊將園中的白葡萄採用當地古法復興的泡皮釀法，手工採收後腳踩去梗破皮，以原生酵母在戶外的水泥槽中泡皮發酵 25 天。釀成香氣古樸奔放，帶有結構與鹹味的一款個性橘酒。Filarole 雖然是一家 2017 年才成立的全新酒莊，但因為用上混種古園的在地古種葡萄以古法釀製，自然不須太費力就能釀成完整協調，非常精彩的成熟之作。

產區：義大利 Emilia-Romagna
品　種：Malvasia di candia aromatica、Ortrugo, Trebbiano
類型：泡皮橘酒
酒精度：12%
進口商：簡單葡萄酒坊

Ronco Cevero, Ribolla Gialla, 2016

Ribolla Gialla 是義大利東北部最具代表的原生葡萄，酒體輕巧多酸，近年來常被用來釀造泡皮的橘酒。釀酒師 Stefano Novello 在葡萄稍微過熟後才採收，進橡木發酵槽中以原生酵母發酵，並進行長達兩個月無控溫的泡皮。榨汁後轉存放在 3 千公升的大型木槽中培養長達三年，中間僅經過一次的換槽，無過濾無添加直接裝瓶。泡皮與培養讓 Ribolla 變幻出甜熟華麗的香氣，杏桃乾與椰棗、香料與礦石並陳，酒體也變得深厚，質地圓潤，但酸味和細緻單寧讓酒昂然挺立充滿律動，正是優雅的狂野姿態最好的寫照。

產區：義大利 Friuli
品種：Ribolla Gialla
類型：泡皮橘酒
酒精度：12.5%
進口商：醉翁堂

Domaine Nicolas Paget, Aborigènes, Pét-Nat Rosé, 2021

近年逐漸流行的自然氣泡酒 Pét-Nat 其實是最早的氣泡酒原型，只是後來被製程更繁複的瓶中二次發酵法所取代而幾近消失，Pét-Nat 通常一次發酵沒結束就裝瓶也沒有除渣，較混濁粗曠，但也更直接誠懇。酒莊釀製的經典酒款也包含瓶中二次發酵氣泡酒，但嚮往更自由的釀造，也採用原生品種 Grolleau 以原生酵母釀造這款很復古也很有活力的 Pét-Nat，顏色深如淡紅酒，過貓與蕨類的綠色森林香氣配上酸漿果般的酸味與莓果香氣，有讓人口水直流的清新與爽朗。

產區：法國羅亞爾河
品種：Grolleau
類型：自然氣泡粉紅酒
酒精度：12%
進口商：尚酒

Fuchs und Hase Pét-Nat Rosé, 2021

狐狸與野兔是由兩家位在奧地利的自然派名莊 Jurtschitsch 和 Arndorfer 聯手創立，是只產自然派氣泡酒的獨特酒莊，以 Kamptal 產區的葡萄釀製非常多樣的美味氣泡酒。這款淡紅酒是以直接榨汁的 Zweiget 果汁和去梗破皮的 Cabernet Sauvignon 葡萄一起泡皮和發酵七天，在還留有一些殘糖時就裝瓶，在瓶中完成發酵之後還特別進行除渣讓酒不會太混濁。氣泡較弱，近似微泡淡紅酒，多酸也多汁，質地高瘦內斂相當有型，覆盆子、藍莓香氣噴發奔放，喝一口，彷如一盤夏季森林漿果沙拉的滋味。

產區：奧地利 Kamptal
品種：Zweiget、Cabernet Sauvignon
類型：自然氣泡淡紅酒
酒精度：11.5%
進口商：捷孚

Venus La Universal, Venus, La Figuera, 2018

這是酒莊最偉大的紅酒，當然也最嚴肅、最不輕鬆暢快的酒風，倒不是釀酒師 Sara Pérez 喜愛秀肌肉，而是釀造這瓶酒的葡萄來自 La Figuera 村內的高海拔格納希老樹，風土特性如此，即使 Sara Pérez 用最輕柔的方式釀造，仍免不了有大格局的雄偉酒風。採收後葡萄放進 500 公升的木桶內進行發酵與泡皮，歷時 30～35 天後再轉到 2,500 公升的大木槽內培養 18 個月，是酒莊所有酒中最接近經典風的酒款，顏色深黑如墨，多香料系香氣，雖有相當濃縮豐潤的酒體，但單寧質地堅固緊實，有耐久氣勢。

產區：西班牙，加泰隆尼亞
品種：黑格納希
類型：自然少添加紅酒
酒精度：15%
進口商：iCheers

Ch. Le Puy, Duc des Nauves, 2020

Château Le Puy 是波爾多自然動力農法和自然派釀造的先鋒，不只是自成一格也保存了許多消失中的珍貴智慧，如混種混釀和動力攪拌等。Duc des Nauves 是 Le Puy 本園之外晚近才建立的新園，雖然風土條件和本園類似，但四百多年釀酒歷史的 Amoreau 家族在這片同樣位處石灰岩之上的葡萄園，卻是釀出更具青春活力、更坦誠直率的波爾多紅酒。全部去梗泡皮二到四星期，沒有進橡木桶，直接在酒槽中培養 12 個月就直接裝瓶。石墨、青草與花系香氣配上高瘦酒體，老牌酒莊釀成了爽脆，新鮮的年輕新味。

產區：法國波爾多
品種：Merlot70%、Cabernet
　　　Sauvignon20%、Cabernet
　　　Franc10%
類型：自然少添加紅酒
酒精度：12%
進口商：長榮

Du Grappin, Fleurie, Poncié, 2018

Andrew Nielsen 是澳洲人卻在布根地創立這家自然派酒商。在釀造黑皮諾之餘也釀造非常精采的加美紅酒，因為在薄酒萊，他還能找到相當優秀的頂級葡萄，例如這瓶 Fleurie，來自村北鄰近 Moulin à Vent 高坡的 Poncié 是薄酒萊產區裡條件最優異的花崗岩葡萄園，常釀成風味高雅的加美紅酒。Andrew 是自然酒之父 Jules Chauvet 的信徒，當然是以自然派經典的二氧化碳泡皮法釀造，三週整串葡萄泡皮後榨汁，再經 9 個月的木槽培養成鮮美多汁卻又細膩精巧的美味紅酒。雖也可耐久，但已如此美味又何苦等待。

產區：法國薄酒來
品種：Gamay
類型：二氧化碳泡皮紅酒
酒精度：13%
進口商：Alight Wine

文森・夏洛的葡萄園──
《發酵吧！葡萄汁》

Vincent Charlot

馬爾德伊鎮Mardeuil

生物動力法×陶甕

文／圖・《發酵吧！葡萄汁》

　　夏洛是為數不多的頑固酒農之一，這些人認為釀葡萄酒，就得先從研究葡萄開始。他研究七個葡萄品種，分別是傳統的黑皮諾、皮諾莫尼耶（Pinot Meunier）、夏多內（Chardonnay）、阿赫班（Arbane）、小梅利耶（Petit Meslier）、白皮諾（Pinot Blanc）和弗蒙托（Fromenteau）。

　　他用草叉挖土，好向我們展示其土壤的生機盎然。夏洛對於生命的知識非常豐富，他從未停滯不前，不停嘗試新事物（人們稱他為「德魯伊祭司」）。他和我們討論**生物動力法**的影響，以及用在不同嫁接砧木之間的差異。

　　香檳區約有五十名自然酒生產者，文森便是其中的傑出人物，他將香檳釀造過程全盤仔細向我們解釋，要操作的步驟（嚴格定義上）是如此之多！

　　身為深愛葡萄藤的酒農，他不遺餘力，每一步都不斷進行反問，並著迷於自己釀出的天然純淨酒款，同時，他也並未遺忘自己最深的渴望和直覺。

　　雖然身為堅強的香檳傳統守護者，他不否認自己會以陶甕釀造進行實驗，而且從技術與能量的角度比較新材料的優缺點。

你對於在葡萄園播種綠肥有什麼看法？

自然生長的植物能代表土壤。光是用眼睛觀察這些植物，就能分析土壤的情況。

播種綠肥會破壞判斷土壤本質的線索。

每種植物都有天然的**菌根**，因此每種植物都會將其菌類帶進風土。

那麼，引進其他種類的植物，也會一併帶來其他菌類，而這些菌類會改變原本的風土。

別忘了，藤本植物是唯一不能自行生成菌根的植物。

你對植物學家杜塞（Gérard Ducerf）的理論和生態指標植物有什麼看法？

我完全同意。但是必須考慮到生態指標植物春季從**休眠**到甦醒的狀態，而這與農法和營養充足與否也有關聯。

生態指標植物的數量必須夠大，才能成為訊號指標。

帶你去看我的陶甕好嗎？

49

這是面南的黏土質石灰岩土壤釀出來的夏多內，那塊園深處是白堊岩。

我們知道黏土的特性是會帶來異國水果風味，礦物鹽則是源自白堊岩。

施行生物動力法後，我的榨汁帶有一絲澀味，通常此澀味只存在果皮中，現在連果肉也有。

如果想要知道差異，就嘗嘗白堊岩土壤釀出的夏多內。真的能喝到帶著碘鹽的海味。總之，它讓人垂涎三尺。對我來說，能在白堊岩土上呈現最佳表現的就是夏多內了。

所以你比較喜歡讓黑皮諾種在黏土上？

的確是，我曾經在白堊岩土地種過，土壤厚度約是1公尺，下方便是白堊岩，結果不太妙。因為品種特色以及風土完全被蓋過了，我完全喝不出感情。

拍我看更多

作者：Fleur Godart
繪者：Justine Saint-Lô
出版社：積木文化出版

好書推薦

《發酵吧！葡萄汁：種植與釀造》

林裕森、劉永智聯合推薦最好看的葡萄酒漫畫：兩位熱愛葡萄酒的法國女生，二十五座特色葡萄園與酒窖深訪，從波爾多，貫穿香檳區、羅亞爾河谷、薄酒萊產區，以及西班牙馬約卡島……歡迎來到第一現場，見證葡萄種植與釀造的初心與未來，參與一次又一次、關於風土的驗證。

陶甕風吹進波爾多——
前衛夫妻檔 Gonzague & Claire Lurton 帶動酒莊實驗風潮

文·王琪 / 圖·王琪、受訪酒商

（圖：酒莊提供）

享譽全球的波爾多，一向是以堅守傳統著稱。在這個以聲望至上的產區，要做出任何改變都是個漫長的挑戰。由於全球暖化與永續話題的加溫，波爾多葡萄酒產業近幾年倒是出現了一些改變。

首先是得到有機與環境永續相關（如HVE，英文譯名為High Environmental Value）認證的酒莊數量明顯提升。根據波爾多葡萄酒公會（CIVB）的估計，如今得到認證的酒莊約達75%。當然採用有機或自然動力法的酒莊比例仍是少數，但這個因氣候潮濕而必須大量仰賴噴灑藥劑的產區，總算開始認真保護自己所處的環境。

再來是直接針對全球暖化而對葡萄品種所做出的讓步。自2021年起，釀造Bordeaux與Bordeaux Supérieur AOC酒款的酒莊可以試種較能對抗氣候暖化的六個新葡萄品種。即便種植面積不得超過酒莊葡萄園的百分之五，在酒款混調時比例也不能高過10%，但總算是這個守舊的產區較為前衛的改變。

相較於外在環境上的明顯變化，進入酒窖，改變則相對細微。多數酒莊還是在橡木桶與不鏽鋼桶兩者之間二選一。此區酒莊在橡木桶的投資上一向毫不手軟，即便近年來越來越多酒莊開始租用橡木桶而非全數購買。而當法國其他產區與全球各地吹起自然酒、陶甕酒旋風時，波爾多外

Château Durfort-Vivens 的陶甕（圖：迪卡斯酒商巫貞穎）

Château Ferrière 的新陶甕（圖：酒莊提供）

表上看來似乎聞風不動。

今年七月中一趟波爾多酒莊行，我在座落於波爾多兩海之間Cadillac產區的有機酒莊Château La Peyruche，首次看到了此行第一個用以釀造梅洛（Merlot）葡萄酒的陶甕。根據來自台灣、目前在波爾多迪卡斯酒商（Descas）擔任亞洲出口部經理的巫貞穎（Agnes）的觀察，此區不少酒莊像是五級酒莊Château Dauzac以及位於Pessac-Léognan的名莊Château Pape clément等，其實在酒窖中都開始出現一、兩個陶甕，不過多數僅在實驗階段，極少數敢裝瓶上市。

而帶動此區陶甕酒實驗風潮的是Lurton家族成員Gonzague Lurton。他在其位於瑪歌（Margaux）產區的二級酒莊Château Durfort-Vivens的酒窖中有150多個來自義大利的Tava陶甕。

Gonzague跟妻子Claire Lurton被視為是波爾多的前衛夫妻檔。Gonzague來自知名的Lurton 葡萄酒世家，而Claire也不遑多讓。具化學與考古學背景的Claire來自Villars家族，在1992年接管家族酒莊Château Ferrière 與Château Haut Bages Libéral。兩夫妻旗下的三間列級酒莊都得到有機與生物動力法雙認證。此外，Château Haut Bages Libéral在2020年還在Claire的主導下，釀造出波爾多列級酒莊的第一款豪無添加二氧化

波爾多列級酒莊的第一款自然派梅洛酒款 Ceres
（圖：酒莊提供）

Claire Lurton
（圖：酒莊提供）

硫的自然派梅洛酒款Ceres。

對環境與產區風土的關注以及Claire的科學背景，使她充滿實驗精神。在Château Ferrière，可以看到製作生物動力法制劑的各樣設備，而原料都來自葡萄園。走入設計感十足的酒窖，更令人覺得耳目一新。因為不同於波爾多眾多酒莊永遠只看得到無數的橡木桶，Château Ferrière的釀酒容器造型與材質多樣，令人目不暇給。

酒莊在2013年引進獨家設計的兩千公升水泥酒槽，外型像一個大鑽石，內部則為橢圓蛋型。2018年則開始加入七百公升的義大利Tava陶甕。三年前更是第一家開始試用陶瓷甕的酒莊。

鑽石蛋水泥槽
（圖：酒莊提供）

　　Claire認為使用陶甕的最大優勢，是它的微氧化功能，因此可以減少二氧化硫的用量，並保存住來自葡萄本身的紅色水果味。而且因為氧氣已溶解在酒中，所以一年之內也不需要做換桶的處理。Claire對其陶甕酒的表現相當滿意，近幾年Château Ferrière的調配酒款中都開始加入20% 的陶甕酒；未來比例逐漸增加當然也不無可能。

　　迪卡斯酒商的巫貞穎也提到，一旦酒莊減少橡木桶，而增加陶甕用量時，會讓人對波爾多酒有著耳目一新的感覺。因為少了桶味的修飾，果香的表現因而被突顯。酒體與單寧相較之下都會顯得更輕柔如絲綢一般。

　　正如波爾多，全球葡萄酒產區對陶甕的使用，已開始跳脫僅限小農與自然派酒農。當酒莊的環保意識提升，對葡萄的品質更為有自信時，他們也會開始嘗試用不會加入額外風味的方式（如陶甕）讓葡萄表現出自己的特色。

　　正如義大利名酒Sassicaia的釀酒師Graziana Grassini所說，以陶甕釀酒是個自然而又少人工干預的方式。因為一旦將葡萄放入陶甕中，之後所能做的便是等待。就像是把葡萄關在一個「陶土屋」中，讓它自然產生變化。對她而言，陶甕酒是產區風土的極致表現。

　　而由Gonzague與Claire Lurton所帶動的這股波爾多陶甕酒「微風」是否會吹起陣陣漣漪？且讓我們拭目以待。

請問侍酒師：
陶罐酒怎麼喝？

採訪・Ingrid Lin ／圖片提供・Nien、Bass Lin、
台灣侍酒師協會

李庭瑋 | Kenny LEE

2016 年台灣最佳侍酒師競賽冠軍，曾擔任亞都麗緻 Paris 1930、台北侯布雄餐廳、東方文華飯店但馬家等餐廳及飯店侍酒師，現任台北「肯自然」酒吧負責人，致力於自然酒與自然有機的推廣。

Q：何時第一次品飲陶罐，經驗如何？

第一次的經驗總是不可考啊⋯⋯可能在酒莊參訪的過程中，莫名就喝過陶罐酒了。對陶罐酒比較有研究，是開始研究自然派葡萄酒之時，距今大概快十年了，當時還在餐廳工作時，會拿陶罐酒作一些嘗試搭配，或放入酒單中。

Q：你眼中的陶罐酒有什麼與眾不同的地方？

陶罐其實就是一種儲酒的容器，我覺得它會使葡萄酒的圓潤度與果味都更柔和與均衡，並且放大酒體中的礦物質風味，讓酒產生新的面貌與變化。

Q：建議怎麼搭餐呢？

我覺得陶罐酒是一個很大的類型，裡面還是有分很多不同特性的酒款。比較輕盈一點的陶罐白酒或橘酒，我大概會選擇白肉、海鮮這類料理做搭配，若像是 Gravner 這類比較風格厚實的酒款，我想貝類或龍蝦等甲殼類的食材就會比較合適。

Q：建議大家怎麼選擇或有推薦酒款？

Weingut Heinrich, Graue Freyheit, Neusiedlersee, Burgenland, Austria, 2019（酩洋）

對於從未嘗試過陶罐酒的消費者，我會推薦他們試試看 Heinrich 的酒款，這是一款充滿豐富果香，酸度良好的酒款，符合一般消費者對於葡萄酒的想像之餘，又能讓他們接觸新事物。

林允順 | Bass LIN

2022 年首位獲得 Michelin Guide Sommelier Award 的侍酒師、2022 Sopexa 台灣最佳法國酒侍酒賽冠軍、2022 AWI 年輕侍酒師菁英賽冠軍、2022 TSA 台灣最佳侍酒師競賽亞軍、2022 法國 RVF 盲飲台灣選拔賽季軍，曾擔任亞都麗緻 Paris 1930 侍酒師、T+T 侍酒師，現任 le beaujour 侍酒師。

Q：何時第一次品飲陶罐，經驗如何？

第一次品飲陶甕酒的時間已經不太記得了，但開始對陶甕酒有比較印象應該是 2、3 年前，品飲來自奧地利 Weingut Heinrich 所釀的 Pinot Gris 跟 Muscat，這兩個本來就是奔放香氣的品種，釀成了陶甕酒後風味更佳飽滿，再加上瓶身設計非常不同，讓人一看就會記住這是陶甕酒。

Q：你眼中的陶罐酒有什麼與眾不同的地方？

我覺得普遍來說酒體的架構都很完整，香氣層次變化多，馥郁且飽滿，入口後的酸度俐落，橘酒類型的陶甕酒也常帶有單寧的口感，非常多樣化。

Q：建議怎麼搭餐呢？

我會想拿來跟油脂或香料豐富的食物搭配，像是番番紅花咖哩雞，或者馬鈴薯泥田雞腿佐山當歸醬等，戰斧豬排佐香料醬應該也不錯，一般的白肉、雞肉料理我覺得都滿好搭配的，不過有些陶甕酒會帶有一些單寧的口感，所以在海鮮料理上，我會更小心謹慎，確認風味無誤才做搭配。

Q：建議大家怎麼選擇或有推薦酒款？

Weingut Heinrich, Muscat Freyheit, Neusiedlersee, Burgenland, Austria, 2019（酩洋）
XXVI Talhas Mestre Daniel Talha X Branco, Alentejo Vinho de Talha, Portugal, 2019（萬憂解）

我會推薦這兩款陶甕酒給初次嘗試的朋友們，一款是來自奧地利的 Heinrich，它的風格活潑可愛，

滿容易讓人親近，陶罐的瓶身也很有特色。第二款則是葡萄牙的 XXVI Talhas，有著豐富的烏龍茶葉的香氣，台灣人應該會覺得很熟悉。

曾思皓 | Szu Hao TSENG

2022 亞洲大洋洲賽台灣國手、2020 台灣最佳侍酒師冠軍、2020 Sopexa 台灣最佳法國酒侍酒師冠軍及亞洲最佳法國酒侍酒師季軍、2019 Sopexa 台灣最佳法國酒侍酒師冠軍及亞洲最佳法國酒侍酒師亞軍，現任 Park90 Taipei Head Sommelier。

Q：何時第一次品飲陶罐，經驗如何？

首次品飲陶罐的經驗應該是在法國南隆河的酒莊中，莊主用了各種不同的容器釀酒：蛋形槽、陶甕都在他實驗的類別中，但當時並沒有對陶甕酒留下特別的印象。直到近幾年接觸到喬治亞的酒款，才開始對陶甕酒有更多瞭解，畢竟喬治亞使用當地的原生品種，並在陶甕中古法泡皮釀造，與平常飲用的葡萄酒風格差異較大。

Q：你眼中的陶罐酒有什麼與眾不同的地方？

我覺得陶甕是處於不鏽鋼槽與橡木桶之間的儲酒容器，它不像不鏽鋼槽完全密閉，僅保留了水果的風味，也無法人為掌控釀酒溫度，因此更能反應陳年時溫度的自然變化，陶甕上的微小氣孔也能進行氧化熟成，讓葡萄酒中的二層、三層風味更明顯。與木桶相比，陶甕也不會有過重的木質燻烤風味。最終釀成的風格有著柔和的水果風味。

Q：建議怎麼搭餐呢？

其實陶甕酒非常容易搭餐，它的水果風味柔和，酸度也不會過高，我會想拿它試著搭配魚類、海鮮，或者根莖蔬果類，如馬鈴薯、甜菜根等，應該都不錯，比較奇特的食材，就要看廚師的料理手法了，但我覺得陶甕酒算是餐桌上可靈活運用的百搭酒款。

Q：建議大家怎麼選擇或有推薦酒款？

Azienda Agricola Serragghia, Bianco Zibibbo, Pantelleria, Italy, 2020（桀果代理）

Pantelleria 島距離義大利西西里島約有 100 公里距離，同樣也是一座火山島。這款 Zibibbo 使用的品種為 Muscat de Alexandria，透過陶甕陳年，創造出與阿爾薩斯或其他產區截然不同的風格，推薦給第一次嘗試陶甕酒的朋友。

葉昌勳 | Sean YEH

2012 年台灣最佳侍酒師競賽冠軍，2019 年代表台灣前往比利時參加世界侍酒師大賽，於 2021 年 ASI Diploma GOLD 證書，是台灣少數擁有 The Court of master Sommelier 二級認證的侍酒師。個人網站：https://sean-yeh.com/

Q：何時第一次品飲陶罐，經驗如何？

第一次喝陶罐酒大約是 4、5 年前，在台灣舉辦的自然酒展上有初步接觸，但並不特別喜歡。之後陸續喝到來自義大利、法國等地的作品，並且閱讀《橘酒時代》、《自然酒》等相關書籍，逐漸開始理解陶罐酒。後來發現我老婆特別喜歡陶罐橘酒，就會常在家裡多準備一些庫存！

Q：你眼中的陶罐酒有什麼與眾不同的地方？

一種古老的釀酒技術，一般人可能以為只要將葡萄放在甕中釀造熟成就可以，但其實要花許多人力仔細關照才能釀好。看似無為，卻處處都要放心思，並非每個酒莊都能釀出優異的陶罐酒。

Q：建議怎麼搭餐呢？

陶罐酒的味道豐富多元又複雜，對於類似風味的料理包容性較大，但對味道細緻的料理搭配就要更小心謹慎。在東方文華的雅閣工作期間，曾使用陳皮雞、粵式魯水拼盤、避風塘龍蝦、花膠干貝雞湯、咕咾肉等不同菜色來跟陶罐酒搭配，都有不錯的效果。其他如使用中東香料的雞肉、戰斧豬排、東南亞的香料飯等，應該也都滿合的。個人則是想在宵夜時間拿東山鴨頭來嘗試看看。

Q：建議大家怎麼選擇或有推薦酒款？

Joško Gravner, Ribolla Venezia Giulia, Friuli-Venezia Giulia, Italy（越昇代理）

若是第一次品飲陶甕酒，我推薦從名家開始試起。Gravner 的酒款有著成熟果乾、陳皮、中藥草、乾燥花等多重香氣，一般大眾也比較能接受。

盧楷文│Kevin LU

2023 年 ASI 世界最佳侍酒師大賽台灣國手、2022 年亞洲大洋洲賽台灣國手、2019 年台灣最佳侍酒師冠軍，現任米其林二星餐廳 Logy 首席侍酒師

Q：何時第一次品飲陶罐，經驗如何？

開始接觸陶甕酒大概是 2013 年在新加坡工作其間，那時自然酒及陶甕酒的風潮剛開始，喝到幾款酒覺得挺不錯，就把他們放進當時工作的餐廳酒單之中。那年選的幾間酒莊當時都還沒什麼名氣，現在都已經成了陶甕酒名家了。

Q：你眼中的陶罐酒有什麼與眾不同的地方？

我覺得陶罐是一種既古老又現代的手法技藝，展現了釀酒的多樣性以及可能性。也許是放在陶罐的關係吧，這類酒款總讓人有種土壤的味道，之前在西班牙 Priorat 的酒莊參訪時，曾品飲了莊主的實驗作品，同樣地塊的葡萄，放入木桶、陶甕等不同容器中熟成，在陶甕陳放的酒款，就比其他款酒多了一些黏土、大地的風味。

Q：建議怎麼搭餐呢？

咖哩飯！這是我腦中第一個跳出來的印象，當年在新加坡工作時，常常跟著同事去吃各種咖哩：南洋風、印度風……各種類型都有，微甜微辣的風味，加上一個水波蛋一份燉菜，配著一瓶陶甕酒，就是開心的放飯時間。

Q：建議大家怎麼選擇或有推薦酒款？

Herdade do Rocim, Alentejo, Portugal, 2019（無代理）

選了這款來自葡萄牙的陶罐酒，沒有令人不喜愛的怪味，風格簡單明快，很適合第一次品飲陶罐酒的消費者。

聶汎勳│Nien

法國巴黎藍帶廚藝學校法國料理及葡萄酒證書、台灣 Penfolds 盃侍酒師賽冠軍、台灣法國侍酒師比賽亞軍（2010 & 2011）。法國香檳榮譽騎士團，香港國際酒類競賽葡萄酒評審。現任台北萬豪酒店餐飲部副協理。著有《酒瓶裡的品飲美學》。

Q：何時第一次品飲陶罐，經驗如何？

第一次品飲到陶罐紅酒，是 2014 年世貿舉辦的食品展中，在一個小進口商的攤位上喝到由喬治亞當地原生品種釀造的陶罐酒，當時只留下「風味很怪」的印象。直到 2018 年，有更多進口商引進各樣的商品，才開始對陶罐酒改觀。尤其是 Jean-Claude Lapalu 的紅酒「智慧女神」（Alma Mater），將 Gamay 葡萄放進陶罐中培養，創造出風味極度濃縮的 Gamay，令人印象深刻。之後陸續也喝到來自喬治亞、羅亞爾河等產區的陶罐酒，都各有特色。

Q：你眼中的陶罐酒有什麼與眾不同的地方？

對我來說，陶罐酒能將葡萄品種的特色放大呈現。將酒液放入陶罐培養可萃取出更多風味，但要如何拿捏「完全萃取」與「過度萃取」的微妙差異，端看釀酒師的功力，通常要花上 6～7 年的時間，才能讓酒莊熟悉陶罐的使用。

Q：建議怎麼搭餐呢？

相同的葡萄品種，透過陶罐培養後，酒款的層次更豐富、完整度也更佳。在搭餐上特別適合放蔥薑蒜不手軟的亞洲料理，曾用來自羅亞爾河的 Clos du Tue-Boeuf Qvevri Sauvignon 2016 來搭配韭菜水餃，大受好評，讓我對陶罐與辛香料的搭配有更多信心。

Q：建議大家怎麼選擇或有推薦酒款？

Pheasant's Tears, kisi, Georgia, 2019（新生活代理）

是否喜歡陶罐酒，實在見仁見智，若是第一次品飲陶罐酒，推薦這款喬治亞《野雞的眼淚》酒莊，使用 100% 的原生品種 Kisi 釀造的陶罐橘酒，絕對會讓人印象深刻。

在地喝陶罐：
全台 18 家自然派酒吧推薦

整理・Ingrid Lin ／圖・各店家

肯自然　Can Nature

台北 酒吧｜ 02-27000386

台北市大安區大安路二段 53 巷 4 號

台北自然酒吧的先驅者之一，店名是結合了主理人肯尼與自然酒，也有著「只要你肯，就能自然」的意味。店內裝潢簡單，牆面上掛著店內販售的各色酒款，琳瑯滿目，讓人選擇困難。店內的氣氛常讓人聯想到木村拓哉主演《Hero》一劇中主角們愛去的酒吧，無論想要品飲何種風味的自然酒，肯尼都會笑笑的說「有喔～」。肯自然也是諸位酒界先進前輩最愛聚會的場所之一，在這兒三不五時會遇到各位大神，絕對值得隨時來朝聖一番。

自然埕 Vin Nature 45

台北 酒吧

台北市涼州街 45 號

位於大稻埕的紅磚屋，戶外長廊上滿是綠意盎然的植物，店內則由放滿了深具童心療癒玩具。主理人 Chris 雖有多年的歐美工作經歷，但總忘不了這個自小成長的大稻埕街區。原先 Chris 以品飲香檳為主，在因緣巧合下，品飲了一款自然酒，大受感動，不到三個月的時間就決定將旗下店面轉型為自然酒吧，讓大家一同瞭解自然酒的美好之處。

目前自然埕除了提供 10 款單杯酒外，還有類似歐洲小酒館般的單壺酒，讓喝一杯太少、喝一瓶太多的消費者有更划算的選擇。因著地利之便，店內的下酒菜選用迪化街老舖的瓜子，讓品飲葡萄酒更在地化。

樸眞酒窖 Pure Wine

台北 酒吧｜ 02-25212608

台北市中山區吉林路 51 巷 20 號 1 樓

樸眞酒窖女主人 Emma 之前一直在資訊業工作，數年前工作轉換之際，與丈夫在法國旅居時，每日在自家附近的小酒館度過輕鬆愉快的時光。回台後，Emma 將樸眞酒窖打理出宛如歐洲巷弄小店的氛圍，木質調的溫暖裝潢，悠揚的爵士樂，再加上一兩杯愉快的葡萄酒，宛如當時景象的重現。Emma 認為葡萄酒應該是輕鬆生活、且易於搭餐的，目前提供約 10 款單杯酒，並有起司、火腿、水餃等下酒菜，不少常客喜歡在下班後過去愉快喝一杯，天南地北的聊天，忘卻工作日的煩悶。

深杯子概念店 La Copa Oscura

台北 酒吧｜02-28230234

台北市北投區石牌路一段 39 巷 69 號

位於石牌小巷間的深杯子於 2021 年 5 月開幕，主理人依亭最初是規劃有個地方能讓客人找到她代理的葡萄酒，沒想到最後卻成了一間酒館，也算是無心插柳柳成蔭的結果。店內的裝潢風格以地中海沿岸為主，深受女性消費者喜愛。店內的單杯酒單每個月更新，並且有許多優惠與遊戲，如 NT$1,000 有 5 款單杯酒的組合，或者盲飲小遊戲，猜中答案即可再喝一杯等，希望透過簡單互動，讓消費者更能接受與理解葡萄酒想表達的真意。位於老派住宅區的深杯子希望能讓葡萄酒更融入生活，在這兒剛結束菜市場採購，滿手菜籃的主婦進來喝一杯的景象，可說是日常了。

A Glass or Two

台北 酒吧

台北市信義區基隆路二段 191 號

以「午後一兩杯酒」為出發點，位於捷運六張犁站旁的 A Glass or Two 是由分別住過紐約與加州的三個女生所創，三個人的共同興趣就是享受微醺的快樂，並且想打破「只有晚上才能喝酒」的固有想法，決定開一間下午就營業的酒吧。堅持只販售自己喜歡的東西，A Glass or Two 隨時提供 3 白 3 紅的單杯酒，並和多個知名餐廳與在地品牌合作，台中與玥樓的古法雞湯盅、Boulangerie Ours 的歐式麵包、HiBoRu 的辣醬拌豆乾、TERRA 土然的巧克力、胭脂食品社的梅酒等，都是店內的下酒美味。店內裝潢以柔和的大地色系為主，在牆後卻藏有一個 More 調酒吧，營業至深夜，無論是想喝葡萄酒或是調酒，歡迎隨時來 A Glass or Two 喝一兩杯！

酴塗小酒館 Salon et Tutu

台北 酒吧

台北市大同區安西街 92 號（涼州街口）

酴塗小酒館的沙龍女主人 Anita 接觸自然酒後，被它獨特的能量與生命力而吸引，決定開創自己的沙龍，讓自然派葡萄酒成為人與人輕鬆自在交流的媒介。自認為在葡萄酒中獲取到許多靈感的 Anita，店內的品項十分多元，除了 3～5 款單杯酒之外，還提供康普茶、調酒以及無酒精蒸餾飲，不論大人小孩，都能在這兒找到合適的一杯。

Anita 曾於台灣、澳洲、紐西蘭多家法式高端餐飲的外場歷練，她認為每一次服務都彷如一場正式演出，服務人員看似踏著輕巧不經意的優雅步伐，都是經過扎實的訓練，才能從容不迫的流暢演出，因此在沙龍裡提供 Tutu 紗裙的試穿服務，讓每一位客人都像走進一場舞會，一同盛裝慶祝生命的美好。

是酒 C'est Le Vin

台北 酒專｜02-27003703

台北市大安區瑞安街 31 巷 18 號 1 樓

是酒的成立宗旨就是法文的 C'est Le Vin——這才是葡萄酒！創辦人 Rebecca 積極地將自然酒引進台灣，並重視生活與酒的結合，在是酒的小院子中，舉辦各種有趣的活動：鹽酥雞趴、院子園遊會、Wine Date 等，歡迎大家呼朋引伴一起玩耍，共同享受自然酒流動的盛宴。

維納瑞酒窖 Vinaria

台北 酒專｜02-27847699

台北市信義路四段 265 巷 12 弄 3 號

葡萄酒、啤酒和烈酒販賣店，專營法國、西班牙、義大利、獨立香檳、自然派葡萄酒。這是一群對於葡萄酒與生活有著無比熱情的夥伴們所建立的，選酒人 Joseph 有著精準的眼光，及超凡的品味，往往能在某些產區或類型葡萄酒流行前，就以洞燭先機，搶先選品至台灣，許多市場是難以找尋的夢幻逸品，都能在維納瑞找到。

心世紀 New Century

台北 酒專

【松江店】電話：02-2521-3121

地址：台北市中山區松江路 156 巷 7 號

【天母店】電話：02-2871-2823

地址：台北市士林區忠誠路二段 166 巷 26 號

【台中店】電話：04-2323-9777

地址：台中市南屯區大英街 608 號 1 樓

創立於 2006 年，以豐富精彩的選酒，及物有所值的售價，如今已擴展至台北兩間門市、台中一間門市，是各地酒友能安心採購葡萄酒的專賣店。「我喝，故我在」，用心世紀引進美好的葡萄酒證明自己的存在吧。

跳舞大象葡萄酒專賣 Dancing Elephant Wine Shop

台北 酒吧／酒專｜02-27423188
台北市松山區八德路四段106巷8弄2號1樓

隱身在八德路的跳舞大象帶有歡快的地中海風情，店內品項以西班牙為主，另外還有來自喬治亞、日本等地的自然酒，數百款葡萄酒皆可開單杯飲用，從下午到深夜，讓人隨時可來這兒小酌一杯，配上店內的下酒小點，就像回到西班牙小酒館般的愉悅恢意。

酒自然 Chu Nature

新竹 酒專｜03-5585527
竹北市文義街247號

酒自然位於竹北市，是大新竹地區第一間自然酒專賣店，闆娘 Terresa 相信喝了自然派葡萄酒，人就會改變，瞭解敬天愛地的必要，天生萬物的必要，以及整理自我的必要。來到酒自然，用純粹的酒，保養心靈、療癒身體，一切都是「揪自然」啦！

Wine Not

台中 酒吧｜04-23205857
台中市南屯區大英街422號

老闆 Max 有著豐富的侍酒師經驗，一雙慧眼總能看透客人現在所需的商品，精準推薦。店內空間寬敞舒適，無論是朋友聚會，或是吧台小酌都十分輕鬆愉快。Wine Not, Why Not!

詩人酒窖 Le Cellier des Poètes

台中 酒專｜04-23272924
台中市西區台灣大道二段331號

如果這裡不夠好的話，至少它是真誠的！如果它不夠藝術的話，至少是懷抱理想的！如果它不夠高品味的話，至少他站在生活這邊！詩人酒窖陪你站在葡萄酒這一邊……深耕台中市場，以單純的熱情步上葡萄酒之路，強調土地、風土、人文與生活，侍酒師 Morris 總是一眼看出來訪者的心緒，進而端上一款最合適的葡萄酒。

飲饕酒食館 Bon Vivant Gastrobar

台南 酒吧／餐廳｜06-25109834
台南市中西區忠義路二段 157 號

BonVivant
Gastrobar
飲饕酒食館

位於台南市中心，靠近文化古蹟
赤崁樓步行約五分鐘的距離。主理人 Nita 在酒業有 15 年以上的經驗，曾在上海擔任多間葡萄酒與烈酒的銷售行銷總監，去年由於疫情返台，因緣巧合下創立了飲饕酒食館。目前店內有 35 杯以上的單杯酒可供選擇，每週上新 1～2 款，並舉辦各種主題講座，讓客人每次前往都有不同的新發現，此外也有提供各色精彩的佐酒餐點，店內的裝潢風格帶有歐洲法式的優雅，顯示出沙龍女主人的好品味。在台南觀光之餘，別忘了走進飲饕喝一杯。

那個那裡 Sommwhere

那個那裡
SOMMWHERE

台南 酒吧｜06-3026690
台南市東橋十街 9 號

位於永康區，是間令人一再訪問的店家，主理人洋洋與阿吉夫婦一個專注手工甜點，一個熟悉各色佳釀，因而創造出這間結合甜點與葡萄酒、獨一無二的 Sommwhere 那個那裡。洋洋夫妻的熱情與創意無限，總有各種企劃合作在進行，到了台南永康，一定要來這邊吃一塊阿吉精心製作的甜點，喝一杯洋洋嚴選單杯酒，並且探聽他們兩個下一個計畫是什麼，才算是跟上流行。

酷獨葡萄酒 Gudu Wine

GUDU

高雄 酒吧｜07-5215286
高雄市鹽埕區五福四路 136 號

今年四月才開幕，位於高雄捷運鹽埕埔站附近，主理人 Cander 在酒業工作多年，因喜歡上自然酒的多樣性，決定經營以自然酒為主的葡萄酒吧。店內最吸睛的當屬玻璃酒窖，藏酒一目了然。「酤」即為買酒或賣酒之意，「酤獨」念做孤獨，但在這裡從不孤單，舒適的裝潢，輕鬆的氛圍，俐落的長吧台，隨時都有 8-10 種不同的單杯酒可飲用，無論你想放空充電，或者找人聊天，這裡永遠歡迎愛酒人士進來喝一杯。

On Wine & Cafe

宜蘭 酒吧｜0939-770-522
宜蘭縣宜蘭市女中路三段 115 號

位於宜蘭大學旁，已開業 3 年，來自花蓮的蟑老闆曾在咖啡與酒業工作過，開店時決定將兩者合而為一，成了 Wine & Cafe 的專門店。蟑老闆巧合品飲了幾次自然酒，為之驚艷，發覺葡萄酒世界中還有許多有趣且厲害的東西，酒吧開業時，決定只挑選自己喜愛的酒款品項，等酒單底定才猛然發現，自然酒佔了絕大多數。On Wine & Cafe 定位為「左鄰右舍、在地分享」的葡萄酒吧，沒有固定的單杯酒清單，只要想喝全都可以開單杯販售（氣泡酒除外），此外也提供簡單的佐酒小點，如港式點心、起司、以及老闆的暗黑料理 - 炒泡麵。宜蘭夜裡不知去哪喝酒，就來 On Wine & Cafe 與蟑老闆聊聊吧！

雪莉 Wine Only

花蓮 酒吧｜03-831-5298
花蓮市建國路 6 巷 2 號

位於花蓮火車站步行約 15 分鐘，就可抵達這間舒適的雪莉 Wine Only，主理人雪莉長年在酒業工作，五年前一次日本之旅接觸到自然酒後，深深為自然酒的風味與故事所吸引，毅然投入自然酒的推廣中。熱愛旅行、美食的雪莉，一直認為品飲葡萄酒是生活中的一部份，一次在花東旅行時，在這樣美景之前，卻沒有一間令她滿意的酒吧，當下決定天助自助者，自己來開一間最合適了！就這樣，雪莉的店在花蓮落腳了。不單販售單瓶酒，每日也有十來款的單杯酒可供選擇，包含香檳、粉紅酒、橘酒等，當地人可能不是特別熟悉產區與品種，但有著旺盛的好奇心，樂於嘗試各種不同樣貌的酒款。店內也提供各色下酒小菜，其中包含了台北預約困難店《草頭西》為雪莉做的「柚子胡椒雞心雞胗」，常是搶購一空的熱門品項。